多和田葉子ノート

室井光広
Muroi Mitsuhiro

双子のライオン堂

アントワープオリンピック大会で水泳の世界記録を樹立して故郷の街に帰ってきた者のスピーチより

「祝典にお集りの皆さん！　わたしは、ご承知のとおり、世界記録を保持しております。しかし、いかにしてこれを達成したかと尋ねられますと、ご満足のゆくようなお答えはできそうにありません。と申しますのも、そもそも泳ぐということが、わたしにはできない。ずっと以前からなんとか習得したいと思っていたのですが、その機会がついに見つからなかったのです。だのに、そのわたしが祖国からオリンピック大会に派遣されたのは、どうしてでしょう？　この疑問には、当のわたし自身が苦しんでいるのです。さしあたってわたしは、ここがわたしの祖国でないこと、ここで話されていることはただの一語として、どんなに注意していても、わたしには理解できないことを、確認せざるをえません。そこで次に当然考えられることといえば、なにかとんでもない手違いが生じてしまったとみなすことでしょう。ところが、手違いなど生じてはいない。わたしは記録保持者であり、わたしの故郷に来ており、皆さんがお呼びになるとおりの姓名をもっています。ここまでは、すべてが整合している。ところが、そこから先が全然合わない。わたしはわたしの故郷にいるのではない。わたしは皆さんを存じあげないし、皆さんのことばも理解できない。もうひとつ、手違いが生じたかもしれないという可能性に、正確にではないが、どうみても反する事実があります。すなわち、皆さんの話を理解できないことが、わたしにとってあまり苦にならず、皆さんのほうも、わたしの話を理解できないことがさほど苦にならない様子だ、という事実です。……」

（新潮社版『カフカ全集3』「断片――ノートおよびルース・リーフから」飛鷹節訳）

多和田葉子ノート●目次

I

ノート篇

II

序説篇

III

ブック・レヴュー篇

IV

対話篇――多和田葉子＋室井光広

装丁　高林昭太
校正　尾澤　孝

多和田葉子ノート

室井光広

I　ノート篇

ディヒターの心配——多和田葉子ノートⅠ

〝お筆先〟にみちびかれて

多和田葉子の長篇小説『地球にちりばめられて』（二〇一八年、講談社）を読み終えた時、忘れかけていたわが〈読者教〉教祖ボルヘスの〝お筆先〟の一つ——「他の者たちは偶然彼らが書くことになった書物を自慢するがよい。私は偶然私が読むことになった書物を自慢しよう」がお題目のように口をついて出た。忘れかけていた、といったのは、読んだ本の自慢話をしようにも、宿痾の頭痛がひどくて文字をたどるのも難儀な歳月が長期間つづいたことによる。「忘れるでないぞ」だと！　ああ、忘れないとも、ゴーストよ、この錯乱した球体に、この頭脳に、記憶の力が座を占めている限り。

たちまち右のような芝居じみたセリフも唇に上った。いや、事実これは芝居のセリフのひとかけらである。

『地球にちりばめられて』というタイトルの散文的な意味合いは、読了後もはっきりつかめたわけではないが、やはり教祖の〝お筆先〟の一つ——これを「非難する者は、より曖昧だと評するかもしれないが、曖昧性は豊かさというものである」——が想い起こされる。豊かな多義性のコトノ葉がおびただしくちりばめられた小説の「地球」のイメージから自然に連想された芝居がシェイクスピアの『ハムレット』——正式タイトルでは『デンマーク王子ハムレットの悲劇』だった。とりわけ、当方がでたらめにつぶやいて久しいハムレットのいわゆる第二独白、先王のゴースト（亡霊）の言葉をうけた部分に登場する錯乱した「球体」（globe）＝頭をめぐるセリフは、高貴で誇りたかい王子とかけはなれた頭痛もちの下流逸民にとっても痛切なものであったとまずはいっておきたい。もちろん多和田葉子の小説が下流逸民の「狂わんばかりに乱れた頭」をして、めくるめくほどの連想の糸を紡ぐ作業をうながした理由は、独白ひとつに回収される性質のものではない。全十章から成る『地球にちりばめられて』の六人の話者のようにうまく語ることはとうてい無理だとしても、そのたぶんに〝縁的な〟理由を探るのがこの「ノート」の目的である。

逸民の目ざめ

二十世紀初頭の詩人エドワード・トーマスは、「みんな『ハムレット』は自分のために書かれたと思っているようだが、あれは私のために書かれたんだ」とふざけてみせたそうだけれど、多和田葉子の『地球にちりばめられて』のオープニング――「第一章　クヌートは語る」を読みはじめるやいなや、男流の下流逸民も、これは「自分のために書かれた」作品だというドン・キホーテ的妄想に包まれた次第だ。「第二章　Ｈｉｒｕｋｏは語る」に至るとさらに男流道化の思いは強まり、この感触をどう伝えたらいいものか、ソレが問題ダ、とつぶやくことしきりであった。

私はかつて文芸業界で著作活動をした経験をもつ。「偶然読むことになった」というよりは依頼を受けて感想文を書くその仕事の中でも、多和田葉子作品は他を抜いて多かった。それはやはり「偶然」ではない〝縁的な〟何かがからんでいたとも思うのだけれど、〈３・11〉の大震災以降（といっても直接の被災者でも何でもないが）ビジネスとしての読み書き業にプンクトをうちたい思いが急速に強まったことも手伝い、『雪の練習生』（二〇一一年一月、新潮社）の公的な書評をして以来、二〇一七年に至るまで当方の中の多和田文学の愛読者はどこやらへ姿をくらましてしまっていた感が強い。

そんな下流逸民の眼を覚まさせることになった出来事が、二〇一七年の春、「現代詩手帖」編集部から来た、「多和田葉子さんご指名で」対談をという話だった。私はこの依頼に〝縁的な〟何かを感じとった。「現代詩手帖」二〇一七年九月号掲載の「言葉そのものがつくる世界」にふれれば、一愛読者にすぎない当方の自慢話になるのは避けられまいが、それを怖れずに言及するのは、言葉の真の意味での〝グローカルな〟作家がこの対話ですこぶる重要な心境（の変化）を語っていると思われるからである。しかしそのことに言及するのはまだ早い気がするので、今は、発言の核心部分のかけら――〈……最近はダメな日本がオドラデクに見えてしまって、いとしくて心配で、日本という幻想を信じてはいないのに……〉を引くにとどめる。

すでに乱用気味の古い漢語「縁」を、私は他ならぬ『地球にちりばめられて』にちりばめられた数多くのグローカル語――グローバルであると同時に根源的にローカルでもある語――の一つとして受取り直したが、その受取り直しは、この作品の主要な語り手の一人Ｈｉｒｕｋｏの心境（の変化）に寄り添ってなされたものだ。全十章仕立てのうち、第一章、第七章、第十章のクヌート、第二章、第六章、第九章のＨｉｒｕｋｏというように二人がそれぞれ三回ずつ語り、残り四回がアカッシュ（第三章）、ノラ（第四章）、テンゾ／ナヌーク（第五章）、Ｓｕｓａｎｏｏ（第八章）に一回ずつ割り当てられているが、その第九章（三回目の独白）で、Ｈｉｒｕｋｏはこう語る。

〈……パンスカをしゃべる時には「縁」などという言葉を使いたいとさえ感じない自分が、今とても安易に「縁」と言ってしまったことに内心驚いた。誰と誰がいつ出会うかを決める超人間的な力を信じていないわたしには縁なんて存在しないはずだ。便利だというだけの理由でいつも「縁」などと軽々しく口にしていたら、言葉に踊らされていることになってしまう。パンスカを話すようになってから、他人の思想に踊らされることが減ってきていたつもりだった。それなのに今ごく自然に「縁」が出てきてしまった〉

パンスカとは何か？　断片的な「ノート」に終始するであろう本稿は、『地球にちりばめられて』のあらすじを説明することを躊躇する。「便利だというだけの」ものを遠ざけたまま、あえて順不同のやり方で、Ｈｉｒｕｋｏの話すパンスカとは何だったかを思い出してみる。それは、この私にとって〝縁的な〟何かに直結すると思いしらされる縮約語（？）であった。

第一章の話者クヌートはデンマーク人で、さまよえる日本人ともいうべきＨｉｒｕｋｏの特別な「旅の道連れ」になる予感を読者に与えるが、このクヌートの最初の語りによれば、Ｈｉｒｕｋｏが生まれ育ったのは中国大陸とポリネシアの間に浮かぶ列島で、一年の予定でヨーロッパに留学し、あと二か月で帰国という時に、自分の国が消えてしまい帰れなくなり、以来、家族にも友達にも会っていない。クヌートを何よりひきつけたのは、彼女の話している言語で、「普通に聞いて理解できる言語だが、デンマーク語ではない。……ノルウェー語かなと思ったが、それも違う。むしろスウェーデン語に近いが、スウェーデン語そのものでないことは確かだ」。

Ｈｉｒｕｋｏ自身の説明では、それは「手作り言語」で、ヨーロッパ周縁に流れ着いて以来、経験した国はたった三つだという。「でも三つの言語を短期間で勉強して、混乱しないように使うのは大変」なので、「スカンジナビアの人なら聞けばだいたい意味が理解できる人工語」を自分でつくった。

「苦しい状況を他人のせいにするのではなくて、スカンジナビア全域でコミュニケーションに使える言語を一人で完成した」ことに感心するクヌートに、Ｈｉｒｕｋｏは、「完成していない。今のわたしの状況そのものが言語になっているだけ」と応じる（第一章）。

第二章の話者Ｈｉｒｕｋｏの最初の独白で、オーデンセのメルヘン・センターで「移民の子どもたちにメルヘンを通してヨーロッパを知ってもらう活動」に従事する彼女は、「帰ろうと思っていた国が消えてしまったので、……途方に暮れていた」と語り、移民の子どもたちに、「汎」という意味の「パン」に「スカンジナビア」の「スカ」を付けて——密かに「パンスカ」と呼んでいる言語を教えてみたいと思いついたとつづける。

パン・アメリカンやパン・アフリカン、パン・イスラムといった言葉と同じ組み合わせによる「パン・スカンジナビア」なる語は、北欧主義の文脈などでじっさいに使用されていると思われるが、「パンスカ」という縮約語に込められているニュアンスは話者・作者独自のものであろう。

最終章のクヌートの三回目の独白において、「パンスカ」は、「僕らにもはっきり理解できる言語ではあるが、あくまで異質さを保っている。Ｈｉｒｕｋｏを北欧社会に溶け込ませて目立たなくしてしまう言語ではない。しかもどんな母語とも直接はつながっていない。パンスカを話している限り、Ｈｉｒｕｋｏはどこまでも自由で、自分勝手でいられる。しかも会話が鞠（まり）のようにはずむので孤独にならない」と語られるに至る。

まさしく見果てぬ夢の言語としかいいようのない、カフカのあのオドラデク、あるいは「半分は猫、半分は羊という変な」雑種の如き存在である。作者が下流の男流逸民に語った――〈ダメな日本がオドラデクに見えてしまって、いとしくて心配で〉という言の葉のかけらを思い起こしつつ、同じく「帰ろうと思っていた国が消えてしまった」かのような実感にとらえられて久しいここなる逸民は、この「パンスカ」をオドラデク語とみなしもしたのだった。

〝後の祭〟

遅れとズレを伴う反復は、下流逸民のヨミカキの練習史においてしるく浮き立つ特徴であるが、作者と対話する僥倖に与った二〇一七年四月は、『地球にちりばめられて』の文芸誌連載が終結直後のことと後に知った。この連載を読んだ上で対話に臨めば、べつの仕方で話題を深められたに違いないけれど、こうした〝後の祭〟も当方好みの饗宴＝シュンポシオンの一種である。

これもまた今頃になっていうが、私は本稿で多和田葉子をディヒターと呼びたいと思う。畏敬するハンナ・アレントが、英語で書かれた『暗い時代の人々』所収の「ヘルマン・ブロッホ」に付した最初の注で〈このエッセイのなかで用いられている「詩人」とは、ドイツ語のDichter（詩人・作家）の意味である〉とわざわざことわっている一事を思い出す。多和田葉子を日本語（文学）的に「詩人」と呼ぶと何かが足りないという気がかりを抱く当方が、このディヒターの関連語ディヒトゥング（Dichtung）＝文学と、文芸を意味するリテラトゥルの差異のニュアンスをはじめて告知されたのは、F・カフカからだ。G・ヤノーホに向けて、カフカは「今日のゆらめく反映にすぎない」現代の書物の大部分にかかずらわず、「もっと古いものを」読みなさいとすすめる。古いものには——たとえばゲーテには、その最奥の価値が、つまり「持続性」が沁み出ている。世の中の「文芸」は、「ただ新しいというだけのもの」だが、「文学」は、生活を変貌させる。「文学」は「濃縮」＝フェアディヒトゥングであるのに反し「文芸」は、没意識の生活を容易にする嗜好品だ、とも語るカフカは、「文学」は覚醒させるものと付け加える。

「では文学は宗教に傾きます」とたたみかけるヤノーホに、正真正銘のディヒターはこう答えている。

「そこまで私は言おうとは思わない。ただ確かなことは、祈りに傾くということです」（『カフカとの対話』吉田仙太郎訳、ちくま学芸文庫）

Ｈｉｒｕｋｏの「パンスカ」も、「祈り」のための呪文に近い「濃縮」語の一種だと私は思ったが、それをさらにオドラデク語の類いとみなしえたのは、多和田葉子編『カフカ』（二〇一五年、集英社文庫ヘリテージシリーズ）の中に他ならぬ多和田訳の「お父さんは心配なんだよ」が含まれていたことによる。

カフカマニアの当方にとって「文芸」的ではなく「文学」的な事件というべきこの翻訳文庫の存在も、遅れ遅れて知った事実を隠してみても仕方がない。オドラデクが登場する超短篇を

「父の気がかり」という訳で、キルケゴール的〈反復〉読みの対象として長い歳月を過してきた〈読者教〉信者は、まずもって「お父さんは心配なんだよ」という日本語タイトルにユーモアを看取した。家父の心配と訳されたこともあるこの作品は、カフカの生前に刊行された短篇集『田舎医者』（一九一九年）に収められており、初出も同年である。

原タイトルは Die Sorge des Hausvaters であるから、多和田訳は少なくとも逐語訳ではなさそうだ。カフカに対するのと同程度に古い北欧マニア、とりわけ十九世紀デンマークが生んだ二人のハムレット――キルケゴールとアンデルセンの愛読者をつづけている〈読者教〉信者は、多和田訳を読んでただちに、アンデルセン童話「父さんのやることはすべてよし」を思い浮べた。この童話のあらすじを説明するのは無しで済ませたいが、話の内容が似ていたというわけではない。

オドラデク生誕百年

本稿をしたためている二〇一九年は、オドラデク生誕百年である。『地球にちりばめられて』の作者が〈日本がオドラデクに見えてしまって、いとしくて心配で……〉という心境（の変化）を吐露したそのオドラデクが誕生した年の日記に、カフカはこんなことを書きとめている。

「エレジウスのことをしきりに考える。だが、ぼくがどの方角へ体の向きを変えても、真黒な波が打ちかかってくる」（新潮社版『カフカ全集7』「日記」谷口茂訳）

これだけの記述で前後はない。当方がまったく知らぬエレジウスには、ノルウェーの作家クヌート・ハムスンの『大地の恵み』の一登場人物、との訳注がある。M・ブロート編集の全集の「日記」の同年は七つの断章しかないもので、さいごに、エレジウスを「けっして過小評価してはいけない」、彼は「本の主人公にさえなれただろう。おそらくハムスンが若かったときでさえなれただろう」と終る。どうやらエレジウスは「あの街この街への春の商用旅行」をするような人物らしい。M・ブロートがつけた注によれば、カフカは当時クヌート・ハムスンの長篇小説『大地の恵み』を読んでおり、この作家をまったく特別に愛し讃歎していたという。

クヌート・ハムスンなる作家について知るところがまったくないにもかかわらず、ここでひき合いに出したのは、ただ、「クヌート」なる名前が『地球にちりばめられて』のHirukoを、「まったく特別に愛し讃歎して」やまぬ青年の名前と同じだという偶然の一致に何らかの〝縁〟を見出したからである。

クヌート・ハムスンの長篇小説『大地の恵み』の一登場人物エレジウスにわが身を重ねたとおぼしきカフカは「ぼくがどの方角へ体の向きを変えても、真黒な波が打ちかかってくる」と記したが、私は、『地球にちりばめられて』の一登場人物——Susanooに対してHirukoが語りかける次のような言葉を連想しないわけにはいかなかった。〈「おまえは遭難した船みたいなものだ。大洋の真ん中で方角を失って、必死で波や風と戦っている。村に残った方が楽だったには違いないさ。でも船に乗ったことは後悔していないだろう」〉（「第九章　Hiru ｋｏは語る（三）」）

六人の中でただ一人、Ｈｉｒｕｋｏと同じ消失した島国出身のＳｕｓａｎｏｏは神話的というより神話から抜け出てきたような人物で、第八章で一度だけ対話的独白をしているが、ＨｉｒｕｋｏのＢ二独白（第六章）によれば、出身は福井とされる。Ｈｉｒｕｋｏのニセの同郷人のテンゾことナヌーク（第五章で独白する）はグリーンランド人で、流れ流れてＳｕｓａｎｏｏと鮨職人として共に働いていたが、「今はアルルに住んでいるはずだ」などとテンゾ／ナヌークは語る。「テンゾと同じくらい現実離れした」古い名前のＳｕｓａｎｏｏのことを「まだ生きているとしたら、かなりの年寄りだ」と言うテンゾ／ナヌークに、「名前から判断すると、二千六百歳くらいかもね」とＨｉｒｕｋｏは冗談をとばす。しかし作者は半ば本気でそういうことを言わせている印象である。

他にテンゾ／ナヌークに思いを寄せるドイツ人女性ノラ（第四章独白者）と、性の揺らぎを体現する男／女のインド人アカッシュ（第三章）、計六人が入り乱れて、いくつもの土地を経巡る物語展開に、Ｈｉｒｕｋｏ自身の述懐通り「雪だるま式に他人が巻き込まれ、人数がどんどん増えていく」（第六章）と、めまぐるしい思いを禁じえぬ読者も少なくないだろう。「せめてクヌートがいてくれれば意味を失った移動にも軸ができて安心できる」とＨｉｒｕｋｏが信頼を寄せる人物、とりわけその名前の響きに、行きつ戻りつ式のわれわれのノートはたちかえる必要がある。

カフカが特別の愛情を抱いた作家クヌート・ハムスンについての知識を「雪だるま式に」増やしたいと願うが、翻訳も見当らないこともあり、いまだに何も知らぬ状態のままだ。

二度目の対話的独白（第六章）に至っても、「クヌートといっしょに生きた時間がほとんどないので、未知数の憧れに名前を与えて夢見るだけだろう」などともＨｉｒｕｋｏが語るクヌートだが、そもそも一度目の独白（第二章）において、この青年に対し「すぐに好感を持った」と言った後「それは彼のリビドーがわたしではなく言語に向かってどくどくと流れているのが感じられたから」とつけ加えているのが印象に残る。

すかさず、作者のリビドーが小説のストーリー展開ではなく言語に向ってどくどくと流れていると言いつのりたいわれわれの本性を隠さず、唐突ながら、シェイクスピア『ヴェニスの商人』で、借債の担保は自身の肉一ポンドという証文通りでの返済を迫る高利貸しに言い渡された――〈肉はたしかに切り取ってよいが、血は一滴たりとも流してはならぬ〉という判決シーンを思い起こす。

テキストと実存を切り分ける時に流される血に相当するものこそ、この小説全篇にちりばめられた真にグローカルな言語へのリビドーである。性の揺らぎの体現者アカッシュ共々、「クヌートの名前を口にしあっているだけで、なんだか慰められるような気がしていた」と言うＨｉｒｕｋｏにクヌートがはじめから特別の関心を寄せたのも、彼が「言語にエロスを感じる体質」だからであったとされる。

第一章の終りで、デザートの抹茶アイスをめぐるたわいもないやりとりがある。「マッチャ」は「Macho」と同じでスペイン語から来ている、と主張するクヌートに対し、Ｈｉｒｕｋｏは首を横にふりながら「それは違う」と言い、こうつづける。――「そう言っても、わたし一人では信じてもらえない。でも、明日のわたしは一人ではなく、二人になっているかも」と。〈同行二人〉の旅のはじまりを告げるこの科白を、「希望に満ちた声でつぶやいた」と形容してクヌートは第一独白を終り、これをうけるように、Ｈｉｒｕｋｏは第二章の第一独白で、「こんな人なら旅の道連れにしたい。まさかこの旅のせいで、わたしたちの体質が変化していくとはこの時は思ってもみなかった」と語る。

逸民の私がなぜ「われわれ」を自称したくなったのかもわかるような気がしてくる。〈同行二人〉がやがて六人にまで増えるのだけれど、逸民の私もグローカルな流民（？）の六人衆の道連れとして旅に加わりたいという願いを抱いた。作者がそんなことまでいっているわけではないが、旅の道連れとなる資格はただ一つ、「言語にエロスを感じる体質」だ。「そう言っても、わたし一人では信じてもらえ」ないかもしれないが、「われわれ」としてなら、という「希望」を抱く私は、カフカ『審判』のヨーゼフ・Ｋの科白を真似てつぶやいたのだ――〈これが喜劇なら、おれも一役買って出ようじゃないか〉と。

事実、失語状態のＳｕｓａｎｏｏが登場するに及んで、この物語は六人衆による「沈黙喜劇」と呼ばれもするのである。

雑種へのまなざし

われわれの〈読者教〉教祖ボルヘスは、ドン・キホーテがサンチョ・パンサという道連れを得て、おびただしい人々との出逢いのドラマを増殖させていく物語についてこう語った——「実は私は、ドン・キホーテの冒険をあまり信じておりません……誇張が度を越していると考える」からだが、しかし、それはどうでもよいことで、「本当に大事なことは、私がドン・キホーテの存在そのものを信じているという事実」であり、「こういうことは絶対に起こらない、と誰かに言われても、私はあくまでドン・キホーテを信じ続けるでしょう。友人の性格を信じるのと同じことです」(『詩という仕事について』鼓直訳、岩波文庫)。

われわれは、右の言葉も教祖の〝お筆先〟の一つに数えあげる。たとえば今、手元に何度読みかえしたかわからないカフカの作品がある。「掟の門」「雑種」「流刑地にて」「父の気がかり」「狩人グラクス」「火夫」などを岩波文庫でまた反復読みし、右のお筆先をしみじみとかみしめたのだったが、これらの作品に語られる「冒険」ふうのことがらは「誇張が度を越している」と思われるものが多く、「こういうことは絶対に起こらない」と感じるにもかかわらず、私は、いやわれわれは、「掟の門」とその門前で田舎者が生涯を暮らすという途方もない記述を受け入れ、田舎者の存在を「友人の性格」のように信じる。半分は猫、半分は羊という奇妙なクロイツング(雑種)を膝にのせた話者の「私」が、「ふと見ると、むやみに長いそのひげをつたって涙が光っている」と語るあたりでわれわれの頬も濡れる。

「流刑地にて」の何度読んでも奇妙で不可思議な将校と旅行家のやりとりにひきこまれて、よくよく眼をこらすが、「紙の上には迷路じみたものがあるだけ」で、「いくえにももつれあった線がびっしりと紙面をうめていて、白い余白をみつけだすのさえひと苦労というものだった」とある通りだ。

「父の気がかり」は、「一説によるとオドラデクはスラヴ語だそうだ。ことばのかたちが証拠だという。別の説によるとドイツ語から派生したものであって、スラヴ語の影響を受けただけだという。どちらの説も頼りなさそうなのは、どちらが正しいというのでもないからだろう。だいいち、どちらの説に従っても意味がさっぱりわからない」と書き出される。しかし、オドラデクという生き物が実際に存在するのでなければ誰もそんなことに頭を痛めたりはしないだろう……とつづくあたりで、われわれもやはりこの生き物の実在を信じてしまう。オドラデクは平べったい星形の糸巻きのように見え、事実、糸が巻きつけられているようでもある。

ここから先のオドラデクの描写は、遅れ遅れてその存在を知った多和田葉子編『カフカ』所収の「お父さんは心配なんだよ」を参照しつつ反復しないわけにはいかない。Ｈｉｒｕｋｏの手作り言語のパンスカをオドラデク語だといったことを思い出したからだ。

下流逸民の繰り言になるが、多和田文学の愛読史におけるこの数年間の空白を無理に急いで埋める作業を本稿はあえておこなわず、「偶然」読むことになった長篇小説『地球にちりばめられて』に寄り添うスタンスをとっている。じっさい私は、「沈黙喜劇」の主人公ともいえるSusanooの失語状態が自分にのり移ったかのように、「おれが一役買って出たい」のもこんな人物だ、とつぶやいたのである。

そういう次第で、例外的に多和田訳にふれるのは、前述の「現代詩手帖」での対話の折に、カフカ翻訳にまつわる重要な指摘がなされたことによる。ディヒターはこう語っている――「語り手は家にすみついているオドラデクを、我が子を見るように見守っています。語り手には自分の子どもが複数いるようだけれどもその子たちと違って、オドラデクは後継者ではありえないし、何の役にも立たないのに。そのまなざしがあたたかい。自分が死んでしまったら、オドラデクはどうなるんだろうという気持ちが強いようです。カフカの文学は無機質だというイメージが広がっていますが、けっこう体温が高い。翻訳ではそのへんも伝えたかったんです。グレゴール・ザムザも息子失格という点でオドラデクと共通点がありますね。父親から息子へと続く系譜の外にはみだしてしまっている」。

多和田訳のオドラデク描写を右の指摘と並べてみよう。ひらたい星形の糸巻きみたいな形をしているが、その糸は切れた古い糸で、だんごみたいな結び目ができていて、種類も色もまちまちの糸がフェルト上に縒り合わせてある。でもそいつは糸巻きであるだけでなく、星の真ん中から棒が垂直に出ていて、そこからまた直角に棒が出ている。その棒と星のぎざぎざを二本の脚にして立っている。

昔は何かの目的に合った形をしていたのが、割れて欠けてしまったのだろうと考えたくなる人もいるだろう。でも、どうやらそういうことじゃないらしい。少なくとも、そうだという根拠がない。何かが取れた跡とか壊れている箇所はどこにも見あたらない。全体的に形が無意味だが、それなりに完成している。それ以上のことは断言できない。動きがすばやくて、捕らえようがないのだ。……

ディヒターは、『変身』に「かわりみ」というルビをふってタイトルとした。これも対話で語っていることだが、「身代り」と「変り身」という言葉は似ている。グレゴール・ザムザが変身した「虫とか害虫とか訳されることが多い」原語「ウンゲツィーファー」(Ungeziefer)の語源は、ディヒターによると、生贄にできないほど汚(けが)れた生き物のニュアンスで、つまりグレゴール・ザムザは、汚れた存在になることで共同体の生贄にされるのを逃れるのだという。訳者解説「カフカ重ね書き」には、「片脚は共同体につっこんでいても、実はもう一方の脚で外に立っている」とある。

種類も色もまちまちのすり切れた古い糸による「だんごみたいな結び目」をもつオドラデクは、星形の糸巻きであるだけでなく、「棒と星のぎざぎざを二本の脚にして立っている」という描写をまた思いおこしてみると、グレゴール・ザムザとの「共通点」がたしかにイメージをむすぶ。「父親から息子へと続く系譜の外にはみだしてしまっている」息子失格者のそのイメージは、われわれのノートが最初に引き合いに出したハムレットの原像にも〝重ね〟られるような気がするのだが、しかし、われわれが見定めたいのは、さらにその先である。

『変身』と『ハムレット』

われわれの教祖ボルヘスがカフカ『変身』を翻訳したのは一九三八年（三十九歳）のことだ。ボルヘス同様晩年盲目だった父が脳卒中で死去し、さらにクリスマスの事故で生死の境をさまようという後半生最大の危機となった年だが、翌年、失明と創作能力の喪失に晒されながら執筆されたのが、〈読者教〉信者にとって最も重要な作品の一つ「『ドン・キホーテ』の著者、ピエール・メナール」であるが、ここでそれに立ち入るのはさしひかえる。

多和田葉子は前述の対話で、『変身』にたくさんの訳があり、たくさんの演出家がひとつの戯曲を演出したみたいな状況にふれ、読者もひとつの訳で満足しないで、いくつもの訳を読んでほしいと語り、われわれ〈読者教〉信者を励ます。そして、「ハムレット」をある人の演出で一度観たから、他の人の演出は一生絶対に観ない、という人はいないと思う、ともつけ加えている。

『変身』と『ハムレット』は、多和田文学の核心にふれたいと願うわれわれにとって一種おあつらえ向きのサンプルである、とあらためて実感させられるが、この二大サンプルを教祖ボルヘスが創り出した〈アレフ〉のように凝縮した存在こそ、オドラデクだといっていいだろう。

二十年ほど前、十九世紀デンマークの二人のハムレットを追尋する拙著『キルケゴールとアンデルセン』の準備のため最初で最後の（？）デンマーク訪問をした時、私はディヒターとはじめて公的な対話をする機会を与えられた。当時ハンブルグに住むディヒターとどんなことを話したかほとんど憶えていないが、二十年後に読んだ『地球にちりばめられて』の中に、あの時、ききたかったテーマが凝縮された形で見出される、と今にして思う。〝かかとを失くした〟状態で列島を出たディヒターが、ＨｉｒｕｋｏやＳｕｓａｎｏｏのような——カタカナ表記ではなくアルファベットで記される——独自のニホン人キャラクターを造型するために、かほどの歳月を必要とした事実にわれわれは胸うたれる。もちろん、出発当初から「母国語」内で失語状態になるキャラクターが描かれてはいたが、ＨｉｒｕｋｏやＳｕｓａｎｏｏには、対話で洩らされた心境の変化が見出される。訳者のオドラデクの印象をかりて一口にいえば、ニホンに対する「まなざしがあたたかい」。その変容に潜むドラマを、Ｈｉｒｕｋｏが思い出した昔話をかりて、やはり一語でいうなら、「ばけくらべ」（これをＨｉｒｕｋｏは「メタモルポーセース・オリンピック」と訳す）となろうか。移民は一つの状況でしか使えない言葉を無数に覚えている時間はないので、「子どもの頃から根源的で多義的な単語を押さえておいた方がいい」というのが彼女の持論だけれど、ＨｉｒｕｋｏやＳｕｓａｎｏｏ、そしてクヌートといった主要人物たちは、スペシャルな「ばけくらべ」のプロセスで生み出された「メタモルポーセース・オリンピック」の選手として設定されている。

〈いつからだろう。歳を取らなくなったのは。時間はオレの左右を風のように素通りしていく。

時間とオレをからげていた糸がぷっつんと切れてしまったのは、言葉を失った刹那だったかもしれない。アルルで（中略）げんなり引きこもってしまった時期があった。（中略）フランス語は、「盆汁」と「胡麻んダレ」くらいしか知らなかった〉と書き出される第八章の独白の終り近くで、Ｓｕｓａｎｏｏは、Ｈｉｒｕｋｏにふれ、「懐かしいような名前の女。何て言う名前だっけ。ダニでも蚤（のみ）でも蠅でもないが、害虫の名前だった」などと語る。

メタモルポーセース・オリンピック

まったくもって遅ればせながら、われわれはここで、ＨｉｒｕｋｏとＳｕｓａｎｏｏが立つ神話的な舞台をめぐる起源の光景に目をこらす。「本物の同郷人」である沈黙のＳｕｓａｎｏｏに対し、「なんだか昔から知っている友達みたい」な感情をたかぶらせ、柄にもなく、「こうなったら何語でもいいからしゃべってほしい。英語でもいい。蛇語でもいい。シュッシュッという音を口の中でたててくれたら、それだけでも言葉をもらった気分になれそうだ」などと語る巫女的饒舌の化身Ｈｉｒｕｋｏが解説するところによれば、「わたしと同じヒルコという名前の神様は、スサノオの歳の離れた姉」で、両親のイザナミとイザナギの間に最初に生まれた子で祝福されてもいいはずなのに、「女のイザナミが男のイザナギより先に言葉を口にして、誘ったから」生まれた「健康児」の基準に合わないいわば害虫として海に流されてしまったが、「実際は大陸に流れ着いて助けられた可能性もある」（第九章）。

これにつづく次のような〝口寄せ〟の巫女の決然たる表明も、われわれは特別の思いを込めて祖述しておきたい。

「しかし女のわたしが口をひらかなければ、いつまで経っても過去は埋もれたままだし、これからの時間も見えてこない」

われわれは現存する日本最古の書物『古事記』の語り手稗田阿礼が女だと断言した日本学の巨匠柳田国男を思い出す。それが定説となりえたのかどうか、われわれの知識はあやふやだけれど、柳田の推定が仮に正しいとして、最古の書の創成に加わった女は、語り手としてであって、書記者は男だ。ヒエダノアレの語り部の異能を受けつぐＨｉｒｕｋｏが「女のわたしが口をひらかなければ……」という時、文字所有者の手によって意識的無意識的に葬り去られてきた過去の奪還への意志が含まれている。神話はがしのマナザシで語り直し書き直そうと目をつけたのが、海に流されて死んだことになっている「毒虫」の名を付けられた存在だった。Ｓｕｓａｎｏｏがそれを「懐かしいような名前」と曖昧に語るのも、共に共同体のイケニエとして棄てられる〝災厄の神〟であることに関わるだろう。

わがボルヘスは最晩年の世界旅行記『アトラス』（鼓宗訳）の中で、「神話研究は辞書の見栄ではない。人間の永遠の習慣なのだ。ある意味で、合流する二つの川は混ざり合った二つの古い神である」と記している。

ヒルコは「大陸に流れ着いて助けられた可能性もある」と語られるが、災厄の神にとどまらず、農業神、海の神、風の神などメタモルポーセースを生きる多面的な神として列島全土に広い信仰をもつ――かつて折口信夫が〈贖罪神〉とみなしたスサノオの異伝にも、大陸の新羅に渡って船材の樹木を持ち帰り植林の道を教えたとする伝承がある。二十一世紀の神話作家はもしかしたらこの異伝にヒントを得て、災厄のシンボルのような原子力の魔窟がある福井から、造船業で有名な海の彼方の都市へ流れ着き、さらに鮨職人に転じるＳｕｓａｎｏｏを造型したのかもしれない。

海の彼方の地で「合流する二つの川」に重なるＨｉｒｕｋｏのＳｕｓａｎｏｏへの語りかけ――彼女自身が「くさいセリフ」ともいう言葉〈おまえは遭難した船みたいなものだ……〉の前に置かれた一節を受取り直す。

「どこかのおやじになりきって」、「おまえのやりたいことは一体何なんだ」とＨｉｒｕｋｏが叫ぶと、Ｓｕｓａｎｏｏは、初めてふっと笑う。彼女はさらにたたみかけるふうに「おまえはね、父さんと同じ道を歩まなくてもいいんだよ。好きな道に進めばいい。そのために遠くに行ってもいい。もう逢えないかもしれない。でも遠くからずっと見守っているよ」と言う。一連の「くさいセリフ」を、「Ｓｕｓａｎｏｏの父親になりきって話した」とつづくくだりに、「父さんのやることはすべてよし」ふうのノリをみてとるわれわれはハッとさせられる。父の亡霊と対話するハムレットの独白をも連想させるこの「なりきり」を演出するディヒターは、日本神話をけざやかに裏返す〈お父さんの心配〉劇のメタモルポーセース・オリンピックの代表選手として振舞っているといっていいだろう。

ウンゲツィーファーのいろいろ

Susanooの独白の章を読み終ったところで、〈読者教〉信者は再び多和田編『カフカ』巻頭『変身』第一章に顔を出す〈ばけもののようなウンゲツィーファー（生け贄にできないほど汚(けが)れた動物或いは虫）〉を思いおこし、さらに同書所収の「火夫」（川島隆訳）を読みはじめると、主人公のカールを「用務員が、まるで毒虫をつかまえようとするように、両腕を広げて前のめりに追いかけてきた」という一行に出くわし、気になったので、学術的門番の間ですこぶる評判が悪いM・ブロートが編んだものに基づくフィッシャー社の廉価版全集の当該箇所をめくった。「毒虫」の原語はやはりウンゲツィーファーだった。従来『アメリカ』というタイトルで知られていた作品だが、現在ではカフカ自身の命名による『失踪者』にあらためられている長篇小説の第一章に相当する「火夫」の主人公は、作家自身がディケンズ『デイヴィッド・コッパフィールド』の「模倣」だというキャラクターだが、デイヴィッド・コッパフィールドが苦難を克服してさいごには幸せをつかむのに比し、カールは「ひたすら転落の道を歩み、かりそめの繫留地点も次々と失う。そこでは、主人公の成長や愛といった重要なモチーフが欠落し、ただ突発的な冤罪めいたシチュエーションばかりが反復される」（訳者による作品解題）。

カール・ロスマンもまたハムレット的人間の「メタモルポーセース」――グレゴール・ザム

ザが変身したウンゲツィーファーの化身であるが、われわれが種々の訳で反復的に読んだ印象を総合すれば、「転落の道」を歩むカール少年に向けられた作者のまなざしは、やはり「あたたかい」印象だ。

「失踪者」と境遇はまるで異なる『地球にちりばめられて』の六人は、次々と経巡るヨーロッパの「繋留地」において、日本料理のダシとウマミを地球レベルにちりばめるという表向きのストーリーを生きるのだけれど、カール・ロスマン同様、主人公たちの「成長や愛といった重要なモチーフ」が、通常のビルドゥングス・ロマンのように描写されているわけではない。にもかかわらず、かれらに寄せる作者の文体の「温度は高い」のである。

鯨殺しの罪をなすりつけられるという「突発的な冤罪めいたシチュエーション」にまき込まれるナヌークが、テンゾと呼ばれるニホン人を演じることに「はまる」のも、カール・ロスマンを思わせる。そのナヌークを「弟どころか分身のように思えて」と語るクヌート。このクヌートという名前を、どこかで聞いた気がするふうの思いにつつまれながら、Ｓｕｓａｎｏｏの病に似たシンドロームを患って久しい私は、最終章の「クヌートは語る（三）」の途中に至るまで、その〝前身〟を脳裡に浮かべることができなかった。

そう、クヌートは、私が二〇一一年に多和田葉子の愛読者として出会った長篇小説『雪の練習生』というホッキョクグマ三代の物語のうちの三代目——ベルリン動物園で飼育係の愛に育まれ、世界的アイドルとなる「孫息子」の名前だったのだ。地球の危機のシンボルとしてのシロクマに、ディヒターはペンを持たせるカフカ的離れワザを演じ、それに成功したが、Hiru k oの旅の道連れとして新しいメタモルポーセースを生きる設定に遅れ遅れて気づいたのである。

Susanooの郷里の「福井」弁の一つ、「おもっしぇえ」は、私の出身地でも用いる。面白いという意味のこの語を、『地球にちりばめられて』にちりばめられた数々の奇妙キテレツな「雑種」ふうにグローカルな方言（？）に出会うたび、私は「オモッシェー！」と、子供の頃に知った漫画のおそ松くんのキャラクターの一人、イヤミの「シェー！」のアクセントを加えて発したのだった。たとえば第一章でクヌートの口から語られるHirukoの「カンジキ」を私は特別の感情をもって受取り直した。中でも、クヌートがまっ先に関心をふり向けたHirukoの思い出話に出る「かんじき」――かの『北越雪譜』にも登場する――には、とびきり「美味しい時間」がはりついていた。

カンジキ芸人

Hirukoは、今は消滅したとされる国の「北越」地方の出身で……と、やはり今頃になってこの話者の出自を気にかける当方はその地の出身者ではないが、同じ雪国に生い育ったナツカシサを共有した、といったん書いて、急いでHirukoのパンスカならば、「なつかしい」という代わりに、「過ぎ去った時間は美味しいから、食べたい」という風に表現した方がずっとピンとくる、と口真似しておく。雪の中に沈まないようにつくられた靴で、「縄で文を書く時代」にはすでに発明されていたらしい「かんじき」は――と、クヌートは彼女からの伝聞をさりげなく語る。Ｈｉｒｕｋｏのカンジキは道を教えてくれたり、雪の下が空洞になっている危ない場所を教えてくれたりするだけでなく、会話機能も付いていた、と。「ナビゲーション・システムの付いた」かんじき！　オモッシェー！　と思わず叫ばずにはおれなかった私は、このハイテクふうかんじきとはウラハラの、カフカが創作した凄絶な作品を連想し、多和田葉子の手になる「カンジキ芸人」なる作品を夢想するほどだった。

　クヌートが語る「今思うと何の役にも立たないプログラム」とはこんなふうなものだ。Ｈｉｒｕｋｏが「かんじきさん、ゆきうさぎはどこにいるの」と訊くと、「さあね。他に質問はないの？」という答えが、「かんじきさん、雪はどうして降るの？」と訊くと、「答えは長いから家に帰ってからね。そうしないと凍えてしまうよ」という答えが返ってきた。

　このやりとりを読んで、多和田訳「お父さんは心配なんだよ」の――「昔は何かの目的に合った形をしていた」と考えたくもなる「全体的に形が無意味だが、それなりに完成している」オドラデク描写の一節を思いうかべた。

〈そいつは、屋根裏部屋、階段の踊り場、通路、廊下と次々居場所を変えていく。何ヶ月も姿をあらわさないこともある。別の家に移り住んでしまったというわけだ。それでもまたいやおうなしに戻ってくる。そいつがドアから出て来て、階段の手すりによりかかっているところなんか見かけると、つい話しかけてみたくなる。もちろん、難しい質問をするわけじゃない。身体が小さいせいか、つい子供扱いしてしまう。「君、名前は?」と訊くと、「オドラデク」という答えが返ってくる。「どこに住んでいるの?」「住所不定」と言って、そいつは笑う。でも、その笑いは、肺を使わない笑いだ。枯葉が落ちる音みたいに聞こえる。これでだいたい会話は終わってしまう。これだけの答えさえ、いつも返ってくるとは限らない。こいつは木でできているようだ。だから、まるで木のように長いこと口をきかないことがよくある〉

そうはっきり書かれているわけではないが、「通り過ぎる風景がすべて混ざり合った風のような言葉を話す」というＨｉｒｕｋｏの口吻は、「枯葉が落ちる音みたいに聞こえる」オドラデクのそれに似ている気がしてならないわれわれは、オドラデクが「住所不定」と答える箇所で、「かんじき芸人」ふう(?)連想の糸を移動させ、さらにＨｉｒｕｋｏの二回目の独白に登場するオスローの空港での入国審査での役人と彼女の次のようなやりとりに翔ぶ。

「このパスポートは期限が過ぎていますね」

「更新不可能」

「理由は?」

「国が消滅。わたしはデンマーク在住許可を持つ」

また、オドラデクは木でできているようなので、「まるで木のように長いこと口をきかないことがよくある」という箇所では、年齢不詳の故郷喪失者Ｓｕｓａｎｏｏに連想の糸をのばした。「失われた長い年月と妄想に近い故郷を取り戻す」ために必要なのは、ＨｉｒｕｋｏｏのHiｒｕｋｏの言う通り、計り知れないほどたくさんの「言葉の糸」だ。はじめてＨｉｒｕｋｏが話すのを聞いた時、「これまでのっぺり使っていた母語が割れて、かけらが彼女の舌の上できらきら光っているのが見えた」と語るのは二度目の独白のクヌートであるが、そのクヌートがアカッシュを思い浮かべて「彼が心棒になって、僕らが綿飴のように絡み取られていく日が来るかも知れない」と言う「心棒」のようなもの——それこそ「地球にちりばめられた」縁なる糸巻きの正体オドラデクではないだろうか。

われわれがイメージする「かんじき芸人」が繰り出す言葉もまた「心棒」と無数の糸から成るオドラデク語に近く、「もしも言葉が一枚の巨大な網ならば、大西洋よりも太平洋よりも大きな一枚の網ならば、一箇所をつまみ上げただけで残りが全部ついてくるはずだった」とＨｉｒｕｋｏが三度目の独白で語るものに重なる。

「ナビゲーション・システム」の付いたかんじきは、アンデルセン童話「幸福の長靴」よろしく魔法じみたものだが、しかし、それをはく者が、Ｓｕｓａｎｏｏのように国の解体とひきかえに流浪する存在として描かれているのは、ディヒターにとり憑いたオドラデク、ひいては——「世の中の関節」つまりは地球のタガが外れてしまった。ああ、なんと呪われた因果か、それを直すために生れついたとは！　とつぶやくハムレットの亡霊のなせるわざだと思われる。Ｈｉｒｕｋｏとｓｕｓａｎｏｏだけを注視すれば、『地球にちりばめられて』はグローカルな長篇《能》のオモムキを呈するが、最終章で、失語状態のＳｕｓａｎｏｏが「すうっと体重がない幽霊みたいに立ち上がって長いスピーチを始めた。口が縦横に開いて、唇がとがったり、薄くなったりし、喉仏が上下しているのに、全く声が聞こえない」と語られるシーンに、下流逸民は、Ｓｕｓａｎｏｏというきわめつきの《能》舞台を重ねみたのだった。

二十一世紀に生きるＳｕｓａｎｏｏと、神話時代のスサノオといかなる共通点と違いがあるのか、曖昧なままでもかまわない。

曖昧さは豊かさ、というわれわれの教祖のお筆先を地でゆくハムレットは——The rest is silence とつぶやいて息絶えた。アトハ野トナレふうのこのアト（rest）を「休らぎ」と解釈する説もあるそうだが、多和田葉子版世界劇場——globe 座公演『地球にちりばめられて』という沈黙劇を観終った観客は、「失語症研究所」なるトポスへ移動する者らの「休憩時間」と「球形時間」がメタモルポーセースするめくるめく体験の中で、ハムレット時代とは比較にならぬほど深刻な「心配」の対象と化している地球のジョイント（関節）＝クヌートが、新しい言葉の糸によって矯正される可能性を信じたくなるに違いない。

二幕二場でハムレットが、端役とは思えぬほどチャーミングな存在感を示すローゼンクランツとギルデンスターンを前に語る——〈この見事な建造物、この地球も、荒海に突き出た荒涼たる岩端（いわはな）にしか見えない。……〉云々と、前半で地球とそこに生きる人間への絶望を吐露するにもかかわらず、後半で転調する科白をわれわれは思い出す。

〈人間なんか面白くもない、女とて同じだ〉と言った後、ハムレットは二人の顔つきをみてつけ加える――〈にやにや笑っているところを見ると、君らは女は別だと言いたげだが〉と。

ローゼンクランツとギルデンスターンの笑いに、われわれは、いやこの私は、Ｈｉｒｕｋｏの饒舌を浴びて、一瞬笑いをうかべたＳｕｓａｎｏｏを重ねたのだったが、そのわけをさらにのべたてるのはさしひかえ、ここらでひとまず「お休み」にする。

みにくいヒヒルの子——多和田葉子ノートⅡ

小さ子とクロイツング

多和田葉子の『地球にちりばめられて』（二〇一八年）『百年の散歩』（二〇一七年）『雲をつかむ話』（二〇一二年）という三つの長篇小説詩を遅ればせながら読みすすめた後、さらに遅れて『献灯使』（二〇一四年）を読了した際、まっ先に想い起こしたのは、種類を異にする次のような二つの文であった。

「人が文学は作り物であることを承認し、自由自在に幻想の翼をひろげて、空をかけれかしと念ずるようになってからも、なお笑止なほど人間の巧みは地に着いていた。それはおそらくあまりに年久しい約束であったためで、どんな頓狂なるローマンスの中にも、時代時代の読者の意識においては、ありそうな事という条件があった」（柳田国男『昔話覚書』）

「オドラデクは、忘れさられた物のとるべきかたちである。それらはみにくいのである。この得体の知れない『家父の心配のたね』はぶざまだし、それがグレゴール・ザムザだとわかりすぎるくらいわかっているあの毒虫もみにくいし、なかば仔猫で、なかば羊で、多分『肉屋の包丁だけが唯一の救い』であるようなあの大きな動物もみにくい。カフカのこれらの物象は、形象の長い系列をつくってみると、醜悪さの原像であるせむし男と結びついている」（W・ベンヤミン「フランツ・カフカ」高木久雄訳）

前者の柳田の一文を含む「昔話解説」の初出は昭和三年（一九二八）、後者の一文を含む「文学の危機」（『ヴァルター・ベンヤミン著作集7』晶文社）は一九六九年で、それぞれ刊行後、長い歳月が経過している。当方がこれらの文をはじめて読んだのがいつだったかも、もちろん覚えていない。そんな茫洋とした時間の感覚が本稿のテーマにも似つかわしいような心持ちも手伝い、たとえばベンヤミンの一文は、一九九五年から愛読して久しいちくま学芸文庫のコレクションではなく、論じられているカフカ作品もろくに読んでいない学生時代に当然ながらよく理解できぬまま眺めた古い翻訳のほうを引いた。

柳田の昔話研究を引きあいに出したのは、桃太郎、一寸法師、物臭太郎、あるいはかぐや姫、瓜子姫といった日本の昔話の主人公たちが、「小さ子」なるキーワードでくくられていることによる。「小さ子出現の昔話は古かった」と言う柳田は、他の著書でも、賤しい爺、婆の拾い上げた瓜や桃や竹の中から、鬼を退治するような「優れた現人神」が姿をあらわす話について の考察を残している。言及は数多く、ここでその詳細にふれるのはできない相談だが、多和田葉子の『献灯使』の「一生声変わりすることのない」無名という名の主人公――「生まれた時から不思議な知恵が備わっている」とされる子どもをめぐる記述を読みながら、私はこれを柳田のいう「小さ子神の驚くべき成長」物語の二十一世紀版とみなしても許されるのではないかと思ったのだった。

多和田葉子が「自由自在に幻想の翼をひろげて」活写する「小さ子」には、グリム童話のおやゆび小僧やアンデルセン童話の親指姫などと通底する日本昔話あるいは説話ふうのキャラクターの影がさしているけれど、その「頓狂なるローマンス」が「読者の意識に」「ありそうな事」と感じさせた条件には、大災厄に見舞われ、外来語も自動車もインターネットもなくなり鎖国状態という「いつかの日本」を舞台としている一事があげられるだろう。

「日本」とおぼしき国に向けられたディヒターの「心配のたね」に、ベンヤミンの一文がいう「みにくさ」はない。しかしこのたねがさらに大きく成長したことで生れた『地球にちりばめられて』のＨｉｒｕｋｏのようなキャラクターに併せて思いを馳せると、ベンヤミンが引用した「肉屋の包丁だけが唯一の救い」なる文のカケラの出典であるカフカの「雑種」の仲間として描写されている気がしてくる。

「雑種」の Kreuzung の第一義は、十字路、四つ角、交差点で、生物学用語として異種交配の意味を含む。

多和田葉子の〈詩という仕事〉のほとんどが、様々な種類の「交差点」でなされたとわれわれはみているのだけれど、そのクロイツングを象徴するものとして冒頭の引用文を掲げたといったら奇妙であろうか。

歪みの原像

ドイツ語に通じていないただの読者であるわれわれは、ベンヤミンの一文を、ちくま学芸文庫で再度受取り直してみる。そこでは原文を反映しているのか、〈「家父の心配」の種は歪められている。……あの毒虫は歪められている。……半ば小羊で半ば子猫のあの大きな動物は歪められている〉というように、「歪められている」がリフレインされ、「カフカのこうした形象は、しかし一連の長い列をなして歪みの原像に、すなわちせむしに結びついている」とつづく。「みにくい」という日本語訳はどうやらこの「歪み」と裏合わせのようである。翻訳のよしあしをあげつらうのはもちろんわれわれの目的ではない。この「歪みの原像」が、「交差点で」なされるいとなみと不可分のものではないかという曖昧な予感を頼りにすすむしかない本稿のスタンスをはじめに確認しておきたかっただけである。

「われわれの神は日本種族の特性を反映して、すこぶる移動を愛しました分霊を希望せられた」(『妹の力』)と柳田が強調する「われわれの神」を反映した「小さ子」神の末えいの姿が『献灯使』の「無名」の中に垣間見られたことはたしかだし、「自由自在に幻想の翼をひろげて」ゆくストーリーテリングの巧みさが、「頓狂な」状況設定を「ありそうな事」と信じさせることれわれの神」から遠い所に「移動」してゆかなければ会えないカフカ的「歪みの原像」にむすびついている印象だ。

やはりカフカ論の中で、ベンヤミンはこんなふうに書く――「いつかメシアが現われて正すことになるだろう世界の歪みが、われわれの空間のそれでしかないと言える者など誰もいない。歪みはまちがいなくわれわれの時間のそれでもあるのだ」。

Ｈｉｒｕｋｏや「無名」のようなキャラクターの、通常のリアリズム小説の登場人物と比較した場合の「歪み」について物語の細部にふみこんで指摘するのはわれわれの任ではない。われわれが受取り直す「みにくさ」は、「見えにくさ」と言いかえられる性質のものだ、ととりあえず書き、さらに弁明をすると、多和田葉子の仕事の全体像を見渡すのにわれわれの、いやこの私の視力が弱すぎることははじめからわかりきっている。ドイツ語による創作群が読めないというのが何よりも決定的である。いつか「メシア」の如き読者が現われて両方の世界を見据える作業をしてくれるだろう。そしてもう一つ、「歪みの原像」なる語に代表されるベンヤミンの難解な世界像を十全にとらえる視力も微弱であることも言い添えておく必要がある。

紫式部に「かたそばぞかし」といわれてしまうようなおぼつかない視力によってでも理解できそうなイメージとして、私は冒頭に掲げた二種の文のカケラをクロイツェン＝交差、交配させてみた。すぐれて日本的な「小さ子」神と忘却のなかの事物がとる歪められた形。そのクロイツングのサンプルがＨｉｒｕｋｏや「無名」なのではないかと思えたのだった。以下、本稿は、一応、古い時代にまで日本語によってたどれるテキストと、翻訳でしかふみこめない異なるテキストと——二種の文の「間」をオドラデクよろしくちょこまかと往ったり来たりすることになるだろう。なぜそういうやり方をとるのか、についても書きながら考えたい。

癒された人びと

例によって作品のあらすじにふれぬまま、歪んだ作品解釈に従事するわれわれである。それと呼応していると言うつもりはないが、たとえばＨｉｒｕｋｏや「無名」には、姓が無い。実在の人物としてはありえない設定だが、この省略もしくは欠損・欠落に二十一世紀の神話作家の「巧み」がはりついているのはたしかである。

カフカの作品と実存に何らかの影を落とすユダヤ思想を念頭にベンヤミンは——「いつかメシアが現われて正すことになるだろう世界の歪み」と記したが、それについての視力が微弱なので、とりあえず柳田が寄り添う「われわれの神」が登場する起源の風景に目を向ける。

しかしこういう言い方をすると、『古事記』や『日本書紀』の歪んだ編集意図に基づく神話の詐術的改変といったようないささか食傷気味の類型的批判に身を寄せると思われるかもしれないが、たしかにそうした視点に学術的根拠があるのをみとめたうえで、われわれは、文字通り幽冥な世界に姿をあらわす神話の登場人物の中で、あくまでＨｉｒｕｋｏや「無名」の造型に関して意識的・無意識的な影響を与えたと想像される——ひたむきでユーモラスなキャラクターに着目する。

昔話の「小さ子」神とどういう関わりがあるのかはっきりしないけれど、たとえば柳田が愛おしい筆致で祖述したスクナビコナ（少彦名）神の姿形で印象に刻まれるのは、「小さい」ことである。有名なイナバノシロウサギの神話他、活動場面に応じて名を変えて表現される大国主神（『日本書紀』ではスサノヲ）の原意は「偉大な、国土の主人」だというが、「大穴牟遅」なる異名をもつこの「偉大な」神は、スクナビコナ（少彦名）と一緒に国造りを行なったことから農業神の性格も帯びる。神話の世界に立ち入るのが目的でないわれわれの微弱な目は、多和田文学の話者がしばしばおこなうような、〝歪んだ〟文字移植作業に向く。「偉大な」神の異名に「穴」とか「遅」とかの文字が入っているのはどうしてなのか。スクナビコナの「少」という字は現代的な意味とまるで関係がないのか。少彦名は、古代海人集団が祀る幼童神だという信頼できる説があるそうだが、「少」は「小」の広義の〝縁語〟なのではないか。そうしたちっぽけなことが気にかかる。

『日本書紀』の異伝によれば、国造りに協力する少彦名神は、粟島で粟柄に登っていてはじかれ、常世郷に渡ったため、穀霊とされる。また『播磨国風土記』には、大汝命（大国主）と屎（くそ）の我慢競争に及んだ際、重いハニ（粘土）を担いで旅をしたことからそこはハニ岡とよばれるようになったとある。

さらに『伊予国風土記』逸文では、オオナムチ（大穴持）命がスクナビコナ命を誤って殺したが、湯を浴びせると生き返って元気に地を踏み、その足跡が道後温泉の石の上に残ると伝える。「穴」だらけの「少」ない記述からざっとたどってもわかる通り、農業や医薬の神となったペアの神は変幻自在な存在であるが、誰の目にも「小さい」ことに起因するユーモラスなところが際立つのではないか。

田舎者は郷里の方言「オンゾコネ」を思い出す。愚者をさすこの語はウンヅクネ他種々のヴァリエーションがあり、たぶん全国に類似語が分布すると思われる。子供の頃、何事にも遅れをとる、体力が無い、臆病、怠け者などのニュアンスでしばしば浴びせられたこの語に、私は「御損ない」とか「御少なし」という漢語をあててみたが、何かが足りない、欠落している意味はとれるものの、なぜそうしたネガティヴな語に「御」という尊称（?）をつけるかがわからぬままだ。今、遅れ遅れて受取り直して思う。もしやオンゾコネには、かつて神であった「少」＝スクナ神の影がさしているのではあるまいか、と。

もちろんわが方言そのものをＨｉｒｕｋｏや無名にかぶせるのはためらわれるけれど、かれらに見出される「小」「少」「遅」ふうの属性がかつて神々の嘉するものであったことはたしかであろう。この属性を日本的であると決めつける必要もない。あえて物語の詳細に立ち入らずに、私が引き寄せるのはやはり海の彼方の物語についてベンヤミンが鮮やかに言い止めた断章である。「ローベルト・ヴァルザー」というなんと日記に書かれた短い作家論の中で、ゲルマン系の文学に登場する「役立たず、ごくつぶしで落ちぶれたといった主人公の、偉大な典型」にふれ、ベンヤミンは、彼らがどこから生まれてきたのか、のらくら者がどこから来たか、「われわれは知っている」と書き、一九二〇年に、ようやくノーベル賞を受けてみとめられるに至ったクヌート・ハムスンや、アイヒェンドルフ、ヘーベルなどがつくりあげた典型的人物の例をあげてこうつづける。

「もし彼らに具わっている、ひとを幸福な気分にするとともに気味悪くもさせる性質をひと言で名づけようとすれば、次のように言うことが許されるだろう。彼らはみな癒された人びとないいい、いいのである」

文学に安易な癒しを求めることを禁じられて久しいわれわれだが、しかしこの私は、キルケゴールのいう「正しく不安を学ぶ」ための旅を反復してきた多和田葉子の作品群にそれを見出しえた。なぜそういうことが起きたのか、という問いを、なぜ欠損の穴ぼこや、精神的・肉体的な遅滞を抱えるマイノリティの守護神ともいうべき〈少〉神の息のかかった人々が本源的な癒しを与えられるのか、と変奏させる方向にわれわれの稿は向っている。

その方角にぼんやり視えるのが、一本いや一柱のカカシである。

じつは拙著『カフカ入門』において、〈デクノボー的カカシ的〉なる小題のもと、日本神話のカカシをめぐる迂遠なノートをすでに書いた記憶がある。ここでは、そのノートに書き写しそびれたカカシ作家カフカの「八つ折判ノート」中の一節を掲げておきたい。

「ぼくは人生に必要なものを何ひとつ携えてこなかった。あるのはただ、一般的な人間的弱さだけ。弱さ——それは見方によっては巨大な力なのだが、弱さに関してだけは、ぼくはぼくの時代のネガティヴな側面をたっぷり受け継いだのだ。ぼくの時代は、ぼくに非常に近い。ぼくには時代に闘いを挑む権利はなく、ある程度は時代を代表する権利がある」

『献灯使』の「無名」が、右の「ぼく」に重なってみえるのだが、その理由はまだ見えにくい＝みにくいだろうか。

カカシのレキシ①

大穴牟遅と少名の二神が一緒に国造りをしたくだりには、われわれが偏愛するデクノボー（案山子）も登場するので、再度別のテキスト（角川文庫『古事記』）で受取り直す。もちろん、神話のキャラクターの中に、ベンヤミンのいう「癒された人びと」の原像をみてとり、ひいてはそれが多和田文学の遠い淵源をなすものだということを確認するための反復である。

〈その大国主神が、出雲の美保岬にいらっしゃった時に、波頭を伝わって、蔓草の天（あめ）のガガイモの実を船にして乗って、小鳥のミソサザイの羽毛を丸ごと剝ぎ取って着物にして、近寄って来る神があった。そこでその名を聞いたけれども答えない。さらにお付きの神たちにお尋ねになっても誰も「知りません」と申す。そこに蟇（ひきがえる）が申すに、「この者は案山子のクエビコがきっと知っておりましょう」と言った〉

案山子のクエビコ（久延毗古）とは「崩れた男」、身体に障害のある神の意だという。古語辞典をひらくと、クエ（崩）はコエ（越）に通じる音だとわかる。なぜ、一カ所に一本足で立つカカシが、移動を思わせる「越」に重なるのかという問いへの答えがみつかることを期待せず、先を読む。呼ばれたクエビコは、「これは神産巣日神の御子の少名毗古那神です」と答える。カンムスヒノカミは大国主神の母なので、確認すると、「まさしく我が子です。子たちの中でこの子（少名毗古那）は、私の手の指の俣から漏れ落ちた子です。だから、あなた葦原色許男命（大国主神）と兄弟となって、あなたの国を作り堅めなさい」と言われた。その後、少名毗古那は異界の「常世国」に渡った。

いわゆるクエビコは、と『古事記』の筆は、さらに註記ふうにつけ加える――「今にいう山田のかかしのソホド」のことである、と。ソホドとは「雨水に濡れる人」、ソホチヒトの約だという。

〈此の神は、足は行かねども、尽く天の下の事を知れる神なり〉（この神は歩くことができないのに、あまねく天下のことを知っている神である）

足が一本「少」ない崩れた男にもかかわらずカカシが無類の物知りであることを、他ならぬヒキガエルが知っている一事に、ペアの神々がクソの我慢大会をするくだりに接した時同様、われわれの頬はゆるむ。ノリト（祝詞）によれば、タニグミ（ヒキガエル）は、地の果てを支配する神だ。崩れた男（クエビコ）が雨水に濡れる人（ソホド）に、というような名の変幻のドラマへのわれわれのシンパシーは、「少」なくない。

昔と今の呼び名が違うだけのことかもしれないが、デクノボーのイメージを愛惜するわれわれとしては、見かけは一人前だが無能な人の意に用いられもするカカシの起源の風景に心ひかれる。ここで深入りするわけにはいかないが、柳田の行き届いた考察の数々に明らかなように、カカシはもとはれっきとした神だったのが後に零落した存在だ。『年中行事覚書』の中で、柳田は、ユーモラスなタッチで「これが人間でないことは鳥にもわかる」と書き、雀が案山子の頭に来てとまるユエンを説く。「始めて鳥獣の嚇（おど）しのこの人形を立てた人の心持は、これが自分達の姿のように見えて、相手を誤解させようというのではなかった。形はどうあろうともこれが霊であって、むしろ人間以上の力で夜昼の守護をするものと信じられていたことは、日向のシオリジメも注連縄も同じことであった。そういう古風な考え方はもう抱いている者もないかと思っていると、地方によって存外に物堅く、今でも、この案山子に対して慰労感謝の祭をしている者もある」（「案山子祭」『年中行事覚書』）

碩学西郷信綱の『古事記注釈』は、「ソホドはスクナビコナの眷属であったのではなかろうか」とし、「山の神・田の神としてのソホドと、豊饒をもたらす常世の神ないし祖霊としてのスクナビコナとの間には、一脈通じあうものがあるといえないか」とつづけている。

カカシのレキシ②

カカシが現代的な意味で醜いかどうかはともかく、それがかつて神であった頃の起源の風景が、見えにくい＝見にくいことはたしかだろう。人間界において、それは欠カシと表記してもいいような崩れた外形をもつ。少なくとも、れっきとした神の外形は人間と同じであってはならず、人間が良しとする五体満足なるものは、神々の世界で醜いものと映っていたとさえいえる。日本に最も広く分布する妖怪伝承の一つ——一目一本脚という「欠け落ち」の身体をもつ「一目小僧」を思い浮かべるだけでもこのことはわかる。

「文書ドイツ語と身ぶり言語との有機的な結合」にふれたある書簡の中で、「方言だけが、そして方言の他にはきわめて個人的な標準ドイツ語だけが本当に生きているのであり、残りのもの、つまり言語の中間クラスは灰にすぎず……」と書いたカフカや、「われわれが正しく発音するといって非常に誇りにしているフランス語そのものも、ラテン語やサクソン語を訛って発音したゴール人の口によってなされた『誤り』にほかならず、われわれの国語は他のどこかの国語の間違った発音にすぎない」と書いた『失われた時を求めて』のプルースト——そして、『地球にちりばめられて』のＨｉｒｕｋｏとＳｕｓａｎｏｏにまつわる物語にちりばめられたものの他、多和田葉子の広義の方言談義などに勇気づけられ、われわれも以下さらに土臭い話に耳をかたむけてみたい。こういう民間信仰には記紀神話などよりはるかに古い背景があるようだからである。たとえば高知県の山村でその足跡が二メートルくらいの間隔でついているなどと伝えて巨人を思わせる一方、他の県では七〜八歳の小児と説くものありで小さな大地の神の意味をもつ小人神スクナビコナと巨軀のオホナムヂの組み合わせに重なる一寸法師と巨人ダイタンボーのダブルイメージをよびおこす存在だ。岐阜県高山地方では雪の夜明方に出現するので雪小僧とも呼ばれるそれを、はっきりと「片脚の神」とする伝承も全国的で、福島県の一部では、山の神がカンカチ（片脚）とされるが、カカシと音が似ている。

足が不自由で歩けないのに天下のことに何でも通じるカカシの存在を知らせたヒキガエルをビッキと呼ぶ地方も多い。このビッキは、差別用語（?）のビッコと音が通じている。

又しても唐突に、当方が〝デクノボー的カカシ作家〟と呼んだことのあるカフカの一九一四年十二月五日付「日記」の一節を、異邦人版カカシのクエビコあるいは山田のソホド像として引いておく。「ぼくの存在をこの点で象徴するのは、ある冬の闇夜の大平原の端の、深く掘り返された畑の上に斜めに軽く突き刺さった、雪と霜に蔽われた無益な棒である」（この「大平原」ふうの場所を、当方は別稿で「天河平原」と命名したのだった）。

今や、世界文学の巨匠の仲間入りを果し、雲の上の人となった（?）ディヒターの作品を語るのに似つかわしくないと知りつつ、雲隠れの隠者を志願する当方好みの「無益な棒」のような世界に長くふみ迷いすぎたが、『地球にちりばめられて』からさかのぼるふうに読みすすめて『献灯使』に辿り着いた段階で得られた感触に基づいて、宮沢賢治の童話「蛙のゴム靴」に登場する「雲見」＝ペネタ形（平たいこと）ふうの感想をのべたくなった次第だとでもいいひらくべきところか。ペネタ形とは何か、についての解説を「欠け落ち」状態にして、さらに田舎者的な断言をする。少なくとも大震災以後、一種の「分岐点（クヌーテンプンクト）」にさしかかってからの多和田文学の主要な作品群を、世界文学版の〈カカシ祭〉として読むことは可能なのだ、と。

（「分岐点」以前においても、このディヒターのカカシ的な存在と近縁関係にあるモノへの関心の寄せ方を窺うのに重要な示唆を与える理論的著作として、一九九八年にチューリッヒ大学へ提出した博士論文『ヨーロッパ文学における玩具と言語魔術』が手元にあるけれど、残念なことにドイツ語で書かれているので当方には読めない。二〇〇四年刊「ユリイカ12月臨時増刊号　総特集多和田葉子」によれば、その構成は以下の通り。第一章「玩具と父への憧憬」、第二章「玩具からものへ」、第三章「人形の文字と民族学」、第四章「フランツ・カフカにおける独楽と球技ボール」、第五章「表層の魔術――玩具収集家としてのヴァルター・ベンヤミン」、第六章「魔術的都市プラハと玩具」）

われわれのカカシ（的なモノ）への関心は、すでに引いたベンヤミンの「ローベルト・ヴァルザー」をめぐる断章とつながっている。この関心をあからさまに多和田文学のキャラクターに重ねることを躊躇するのは、ベンヤミンが例示した「癒された人びと」がすべて優れた男流の創造物に共通する特徴をもつ一事と無縁ではない気がする。正確に引用し直すと、ベンヤミンは「癒された人びと」について「他のどこでもない狂気から彼らはやって来た。それは狂気を経てきた人物……」と書いていた。多和田作品のキャラクターたちを想う時、この「狂気」のくだりは、「巫女的物狂い」と翻訳しておいたほうが適切だと考える当方の脳裡に去来するのは、狂気・まじめな省察・メランコリーから成る中世的「メランコリー」の本義である。

カカシのレキシ③

もと、東北地方特産の木製の郷土人形コケシは、手元の小さな国語辞典によると、小さいケシ（芥子）人形の意だというが、われわれの非学問的な語源学では、やはりカカシという音に通じる。野外に立つカカシがなぜ屋内ふうのコケシに重なるのか、その根拠についての記述も「抜け落ち」状態のまま、『聖女伝説』（一九九六年）の「こけしであるわたしの源には、コケシという言葉があり続けます。子供を消して作った人形だから、こけしというのだそうです。消されたものがわたしの起源です」という一節を思い出し、次に『献灯使』をひらく。

プロローグ部分に、用もないのに走ることを昔の人は「ジョギング」と呼んでいたが、外来語が消えていく中でいつからか「駆け落ち」と呼ばれるようになってきた、とある。「駆ければ血圧が落ちる」という意味で初めは冗談で使われていた流行(はやり)言葉がやがて定着した。無名の世代は「駆け落ち」と恋愛の間に何か繫がりがあると思ってみたこともない、とつづく一節から、ダイタンボーの脚で「駆け落ち」てゆくと、百歳を超える曾祖父の義郎が、玄関で靴を脱ごうとしてよろけて片手を白木の柱につき、木目を指頭に感じるシーンがある。

〈樹木の体内には年月が波紋になって残るが、自分の身体の中に時間は一体どんな風に保存されているのだろう……〉とそう思ったところで再びよろけて左足を床についた義郎が漏らす次の一行を、われわれはカカシのように立たせる。

「どうもまだ片脚で立つ能力が不足しているな」

これを聞いた曽孫の無名は、「曾おじいちゃん、鶴になりたいの」と尋ねる。その表情を義郎は「美しい」と感じるが、「一瞬お地蔵様の顔に見えてしまったことに動揺」する。

動揺の理由については書かれていない。義郎の職業は小説家であるが、この何気ない一節を読んだ当方は、やはり唐突にも、アンデルセン童話の一つ、一本足で「しっかり立っている」錫の兵隊を、そしてキルケゴール日誌中の一行――「一本足で立ち、神の現存在を証し、ひざまずいて神に感謝する」を思い起しつつ、われわれのディヒターなりのスペシャルな〈カカシ祭〉小説のはじまりを予感した。

体が弱く学校にも通えない無名を歯医者に連れていった時、義郎がまだ何も訊かれていないのに言う次のセリフもカカシとして立たせたい。

「欠けてしまったんです」

これが「書けてしまったんです」に近くなったことに気づき、あわてて、「欠け落ちてしまったんです」と言いなおし、それから「乳歯ですけど」と付け加えた。一方、無名はまだ漢字がほとんど書けないくせに語彙だけは豊富なので、「落ちてしまったんです、入試ですけど」という意味を漢字抜きで思い浮かべて一人にやにやしていた……とつづくくだりには、多和田作品に際立つ古代文学以来の技法の典型的サンプルが見出される。根源的な本歌取りや、掛詞をはじめ、序詞、縁語、対句、ひいては枕詞などがそれである。

いわゆるシャレとして広く知られる掛詞は同音異義語を利用して、一語に二様の意味をもたせ内容に奥行を与える修辞法だ。東歌以来の古代文学にあらわれる多く口誦の機智と連想による掛詞は歌謡の即興的発想に根ざすもので特に『古今和歌集』以後に発達した。『万葉集』においては枕詞や序詞の連接部に例が多いそうだが、その例示は省かせてもらう。ある語と、意味または音声上密接に関連する語の連なりをいい、意味表象を豊かにするはたらきをもつ縁語や、語法・意味の相対する句を並べ、同音・同語の繰り返しや言い換えによってリズムを整えたり強調したりするはたらきから、内容の対照による構成と調和の美を創り出すはたらきへと展開する対句共々、これらがもともと神祭りの場での心理と動作に呼応した口誦の呪術的な表現に起源をもつことは、古代文学の研究者の説く通りである。

われわれなりの非学問的な定義をすれば、たとえば掛詞は一義的な意味が一瞬「欠」けてしまう時空へ人の思いを「駆け」させるカケコトバ——欠け端と架け橋の二重のイメージを孕む言葉の卵＝コトダマ語なのである。

これらのレトリックを駆使した女房文学隆盛の時代に至って、「をかし」と「あはれ」という語に象徴される日本語文学の二種類の原石磨きのいとなみもピークに達したと思われるが、二人の式部（紫式部、和泉式部）と少納言（清少納言）——これらは皆、彼女らの実名ではなく、偉業をなしとげた三人の代表的女筆の持主の実名が伝わっていないことの衝撃は大きい。

家父らの役職名に類するものである。

われわれはたとえば少納言という役職がいかなる業務内容をもつものだったかよく知らないが、その無知を逆用して、「少」ない言葉を納めるという「少」神の隠された使命を帯びる性質があったのではないか、とあえてたわけた妄想に身をゆだねる愚かさを愛する。

女筆が本流をなした日本語文学の黄金時代の様々な遺産を多和田葉子が豊かに受け継いでいるのはいうまでもないが、負の遺産、すなわち女性性の輝かしいポエジーとしての本流の女流がその後、男流優位の大波に見舞われ行方知れずになってしまったことに対する「気がかり」に無自覚でいられるはずもなかっただろう。

かつて紫式部は、『源氏物語』乙女の巻で、光源氏と息子の夕霧が漢詩を創って競い合うシーンを描き、彼らの出来栄えのすばらしさを称揚しながら、しかし、「女の身」でよくも知らない漢詩のことなどこれ以上書きつらねるのを世間の人もどうかと思うだろうし、この私（記者）も、「うたてあれば、漏らしつ」（イヤな感じがするので、省略する）と筆をおく。よくよく読まないと、記者＝話者（ひいては作者）の微妙な心の機微をとらえ損ねてしまうが、重要なのは（漢詩が自在に読めた）紫式部が操る記者は女の身で漢詩を語ることを自分もイヤな感じだといっているわけではない一点である。男流優位の大波に見舞われて行方知れずになるその後の女性性の輝かしいポエジーの「欠け落ち」という悲しい定めに対する「気がかり」を体現したセリフこそ、〈うたてあれば、漏らしつ〉のようにわれわれには思える。

「欠け落ちてしまったんです」とつぶやいたのは男流小説家の義郎だ。しかし、曾孫につけた名について、「名前が無いという名前だ」と語る彼の心情を、「自分の死んだ後、無名が生きていかなければならない時間を想像してみようとすると、いつも壁に突き当たる」と代弁する女流に、「うたてあれば、漏らしつ」に象徴される負の遺産をも継承した者の――名前を欠カシたカカシ的な思いが渦巻いていることは、明らかであろう。

この負の遺産は、日本語文学のイワレの池に棲む井蛙が、水陸両生の人魚姫のように大海へ乗り出した後、〈異土〉で受取り直された〈欠落〉〈空白〉をめぐるいとなみにおいても形を変えて存在したものと思われる。ディヒターの二十七歳時（一九八七年）の二か国語による最初の詩集『*Nur da wo du bist da ist nichts* あなたのいるところだけなにもない』（詩と散文）を刊行した出版社の名は、日本語訳で〈破産書籍出版社〉となる。〈欠落〉〈空白〉の化身に対する熱い思いが込められたこの書肆は、以後、ドイツ語によるディヒターの本を二十四冊（二〇一九年六月現在）も出しつづけてきたと聞くが、カフカ的に〈……なにもない〉このスペシャルな破産書籍の一冊が、『雲をつかむ話』（二〇一二年）の物語的結節点（ノード）となっていることは特記されてしかるべきである。

同じ事、又、今さらに……

吉田兼好というれっきとした名前をもつ『徒然草』の著者は、第十九段の断章を「折節の移りかはるこそ、ものごとに哀なれ」と書き出し、「大路のさま、松立てわたして、花やかにうれしげなるこそ、またあはれなれ」とむすぶが、春から歳の瀬、そして元旦の明けていくまで一年の季節の移ろいのさまをのべる断章の中で、「あはれ」という語を他者の言葉からの引用も含めて七回、「をかし」を三回用いている。このあからさまな反復には、中世のすぐれた男流著作家が、上代本流からの女性性のポエジーをもどくいとなみに伴う愉楽が渦巻く。事実、兼好は、中段にさしかかったあたりで、――「野分の朝(あした)こそをかしけれ」と記した後、「言ひつゞくれば、みな源氏物語・枕草子などにことふりにたれど、同じ事、又、今さらに言はじとにもあらず」(こんなふうに並べたてれば、みんな『源氏物語』や『枕草子』などに言い古されてしまってはいるけれど、同じことをまた、あらためて言ってもよいと思う)と書き、さらに、「おぼしき事言はぬは腹ふくるゝわざなれば、筆にまかせつゝ、あぢきなきすさびにて、かつ破(や)りすつべきものなれば、人の見るべきにもあらず」(心に思うことを言わないのは、腹がふくれて気持のわるいことだから、筆にまかせて書き綴ったもので、無用の慰みごとにすぎない。どうせ破り捨ててしまうようなものであるから、もともと、人に見せるものではないのだ)と、つづけるのである。

「おぼしき事言はぬは腹ふくるゝわざ」は、太史公こと司馬遷の「人みな意、鬱結するところありて、その道を通ずるを得ず」や、『万葉集』の「五蔵の鬱結を写(のぞ)かむと欲(おも)ふ」などと並んで、ここなる男末流著作家にあっても永らく復唱する文言でありつづけている。

ただ、ここで「今さら」のように兼好法師による女流の水浴びの一節を掲げたのは、「女・子ども・老人」の「あぢきなきすさび」扱いで、歴史の本流から欠け落ち抜け落ちる運命をしいられたカカシ・コケシふうの文がこのような仕方で尊重され崇敬されていた健康な時代があったことに、「救い」を見出すからに他ならない。

健康な姿勢を大事にした兼好法師が右の「あはれ」と「をかし」のもどき文を「破りすつべきものなれば、人の見るべきものにもあらず」と心底思っていたかどうかは、言わぬが花、そのセンサクはしたい人にまかせ、当方としては無しで済ませておきたい。「無しで済ませたい」は当方偏愛の「代書人バートルビー」（H・メルヴィル）の口癖をかりたものだが、この心情は、紫式部の「うたてあれば、漏らしつ」のそれとどう関わるのかについてもその比較検討はできる人にまかせる。

同じ事、又、今さらに言はじとにもあらず。

この文字通りいわくいいがたい曖昧なニュアンスの言挙げと似たふるまいを、江戸・東京のかたきを長崎ならぬベルリンでとり、日本語文学に本源的な〈妹の力〉を見せつけた多和田葉子の「消されたもの」を起源とする文業を前に、反復しているのがここなる男末流である。

この稿に至る一連の多和田文学逍遥文を、私は誰に依頼されたのでもなく、「おぼしき事言はぬは腹ふくるゝわざ」の実感にうながされて書きつづけている。なぜかかる「すさび」をおこなうに至ったのか、この根源の理由を明らかにすべく、多和田文学散歩を開始したといいかえてもいい。と書いてたちまち多和田文学に兄事ならぬ〝妹事〟して久しい男は、「腹ふくるゝ」思いにつつまれる。

それがハッキリしたらいつペンをおいてもいい。それがハッキリするまではペンをおくことはできない。この二つの言い方は、蝶番によってつながっている。「もう」いつでも――と、「まだ」。この領域には、掛詞や縁語や枕詞や対句のように「あはれ」で「をかし」い蝶が飛びかっているのではあるまいか……と、ますます奇態な物云いをつづける当方の脳裡から、遠い昔聞き知ったF・カフカの一語をめぐる誤用のエピソードへ、蝶が近づいてゆく。

それはカフカ自ら《bis》論争と名づけたものだ。カフカが拠ったプラハのドイツ語では、通常の接続詞《bis》（「まで」の意）を、チェコ語の影響から、しばしば「すれば」「し次第」の意味に誤用していたという。本来は、ある地点・限界にまで到達することをあらわす副詞で、時間的比喩的に用いられるものだそうだが、フェリーツェはカフカに、たとえば――「君がここへくるまでは、ぼくはきみに五〇〇キログラムの小麦粉を渡すだろう」といういい方はできないのだと指摘したものの、カフカは以後もずっとこの誤用を正すことをしなかったらしい。

特段のこだわりがあったかどうか不明だけれど、「……し次第……する」と「……まで……しない」をめぐるささやかなエピソードが、どうしてか長く当方の脳裡にたゆたっている。

すでに引いたベンヤミンのカフカ論中の――「いつかメシアが現われて正すことになるだろう世界の歪み」という文のカケラを思い起こしつつ、カフカがとらわれていた過渡期的に混乱した思索を受取り直す。ベンヤミンによれば――「それは優柔不断にひとつの心配から次の心配へと揺れうごき、あらゆる不安をちびちびとなめて歩く自暴自棄の移り気である。じじつカフカには蝶もでてくる」。

前後するが、この一節の少し前に置かれた「忘れさられたこと――この認識とともにわれわれは、カフカの作品のより広い間口をもったしきいのまえに立つことになる」もわれわれにとって忘れがたい。「ひとつの心配から次の心配へと揺れうごき、あらゆる不安をちびちびとなめて歩く移り気」の蝶とまったくよく似たモノノケが多和田文学の旅の道づれであることをみとめつつ、ベンヤミン的キーワードの「しきい」を多和田文学にさがす時、女性性のポエジーが男流優位の文学史において「忘れさられた」ウタテある一事をあてはめないわけにはいかないからである。

妖怪変化万葉集

じじつ多和田文学には蝶もでてくる――と口真似してみたものの、文字通りの蝶のサンプルを今にわかに思い出せない。しかし、蝶に象徴される変幻・変態するモノノケへのオクユカシキ関心の深さは、多くの多和田作品に容易に見出せるものと確信している。

ベンヤミンの文が、例としてあげるのが「一羽の蝶になってしまった」あのカフカの狩人グラックスであることを思えば、多和田文学にとびかう蝶もオドラデクがそうであるような雑種的存在であっていっこうにさしつかえないことは、「もう」明らかだろう。いや、それとも「まだ」はっきりしていないだろうか。

妖怪変化万葉集――少なくともある時期からの多和田文学を、そんな名前のものとして読んできた。と書いて又しても「腹ふくるゝ」想いに包まれる。それもそのはず、この命名がパクリだとすぐに気づかされた。これは「自暴自棄の移り気」の化身たるカフカがキルケゴールやベンヤミン同様、終生にわたる崇敬の念を保持したゲーテ畢生の大作『ファウスト』第二部について、他ならぬ多和田葉子が、「どんなひどい悪口も詩になっていて、韻を踏んでいない部分も音楽的にいきいきしているので」という理由から「ひそかに『妖怪変化万葉集』と呼んでいる」と、集英社文庫版（二〇〇四年）の巻末エッセイに書きつけたものだった。

詩と演劇から独自の養分を吸収して生み出されてきた多和田作品の「より広い間口をもったしきいのまえに立つ」ためにうってつけのテクストとして、『ハムレット』や『変身』と並んで、『ファウスト』の特に第二部があげられると以前から目星をつけていた当方が、世界文学の星座で永遠の輝きを放ちつづけるこれらのテクストを多和田自身が、『万葉集』に対するのと同様のスタンスで血肉化しえたことを確認した時の感動は格別のものだった。ハムレットやG・ザムザやファウストはいずれも当方の〈詩記列伝〉の常連ともいうべきキャラクターたちであるが、畏怖すべき〈妹の力〉の保有者の眼には、やはり優れて男流的な余りに男流的な視座から造型されている部分がきわ立つのではないかと推測せざるをえなかったのだけれど、

『ファウスト』第二部を「妖怪変化万葉集」と命名した一事を知って、古代の万葉から近代の（樋口）一葉に至る流れのシンボルともいうべきコトノハの〈葉〉の一字をうけ継いだ多和田葉子の「広い間口」をもったポエジーの「しきい」の前に立てる気がした日のことを思い出す。

この「しきい」の前に立つと、たとえば『悪霊』冒頭でドストエフスキーの話者が主人公の若書きの「奇妙な代物」についてのべた一行――「筋を話せといわれると、実のところ、私にもちんぷんかんぷんで、ちょっと困るのだが、なんでも劇詩の形式を踏んだ一種のアレゴリーで、『ファウスト』の第二部を思わせるようなものであった」や、さらにベンヤミンがどこかで誰やらの作品について書いた――「『ファウスト』第二部におけるゲーテの言語と同じような響きをもつ」といった文のかけらがよみがえってくる。

トマス・マンやポール・ヴァレリーによって書かれた新しい〈ファウスト文学〉の系譜について語る資格をもっていない当方は、『ファウスト』的饗宴の世界から、『万葉集』的妖怪変化のほうに戻り、特に「変化」をヘンゲとよむような一事に象徴される日本語文学的なモノノケの語り＝モノノカタリ＝物語に異能を発揮した〈妹の力〉に寄り添わねばならない。

ふくしまよ、あきつしまよ

『地球にちりばめられて』のＨｉｒｕｋｏの三回目の語り（第九章）に、県名は嘘つき、という発言が出てくる。「県なんて国の部品に過ぎない、部品は壊れたら捨てられるだけだ、だから県人であることはやめて、真にローカルな人間になるっていうことでしょうかね」

『源氏物語』に初出する言葉を使えば、ＨｉｒｕｋｏやＳｕｓａｎｏｏのような人物を操るディヒターは、世界文学の「才（ざえ）」と日本語文学の「大和魂」とを架橋させるスペシャルなカンジキ芸人である。「真にローカルな人間」には、グローバルな「才」とローカルな「たましい」を兼ね備えることでしかなりえない。

Ｈｉｒｕｋｏは新潟の出身だが、あえて「北越」と言う。「才」と「大和魂」を架け渡すカンジキ芸に特徴的な方法がある時期以降の多和田文学に浮き立つようになったと思われる。ドイツ滞在が長くなるにつれて、日本語作品に用いる特に社会風俗上の言葉が古びてしまうという経験を、ある時期から〝逆用〟することで、ファウスト的な若返りの魔法を体得しえた。先の『ファウスト』解説エッセイで、そもそもなぜ第二部が「古代に突入していったか」と問うディヒターは、「解決されなければならないいくつかのきわめて現代的な問題がきっかけになっている」と書いた。その最たるものが「老い」の問題で、『ファウスト』全体の出発点になっていると見てもいい、と。

他にも、金の裏付けのない紙幣の氾濫による社会の混乱や、クローンならぬ人造人間などの「現代的な問題」を孕む『ファウスト』のメタモルポーセース版をディヒター自身が創出するに至ると見てもいいとわれわれは思うが、その際、ディヒターがゲーテに最も多くを学んだのは、「言葉の錬金術」であろう。Ｃ・Ｇ・ユングの指摘する通り、『ファウスト』は錬金術的な比喩に満たされている。「錬金術のなかの詩的な部分を自由に取り扱うことができれば一篇のメルヘンを作りだすことができるだろう」とはゲーテ『色彩論』の言葉である。

さてしかし、ここで多和田作品における『ファウスト』第二部的なものの世界に踏み入るのはさしひかえ、「真にローカルな人間になる」というＨｉｒｕｋｏのセリフから当方が思い出した『万葉集』巻頭の歌を瞥見するにとどめる。

高校の古文の授業でそらんじた一番目の「コモヨ　ミコモチ　フクシモヨ　ミブクシモチ……」と、二番目の「ヤマトニハ　ムラヤマアレド　トリヨロフ……」という共に天皇が詠んだとされる二篇を、私はなぜかいっしょくたにして、「ふくしまよ、あきつしまよ」の歌と呼んで久しい。

もちろん、一首目に出る語は「ふくしも（掘串）」であって、「ふくしま」ではない。Ｈｉｒｕｋｏのように「県名は嘘つき」と言いきるのは勇気がいるとしても、県庁所在地の福島にファミリアな響きを感じない周縁の県人である私が「フクシマ」と発音すると、プルースト的な発音の「誤り」よろしくフクシモと訛ってしまう。だからいっそのこと、この一首目の語をフクシモでもフクシマでもよいとしよう、カマメがカモメならフクシモがフクシマであっても……などと考えたと書けば奇妙な言草になるであろうか。

「かごよ、よいかごを持ち、掘串よ、よい掘串を持って、この丘で若菜を摘むおとめよ、あなたの家をおっしゃい。名前をおっしゃい……」と歌の前半にあるフクシモは土を掘るためのへらだが、愛知・長野・静岡の三県境の山間部の方言に残っているという。

この方言の話を持ち出した国語教師は、田舎者の質問に、あっさりと、フクシマの名の起りの一つに、土を掘るフクシモを含めてもいいんじゃないか、と答えた。そしてこんなことをつけ加えた。一首目の、「この大和の国は、すべて私が領有している。一面に私が治めているのだ。この私からまず名乗ろう。私の家も名前も」という歌の後半部分は、もともと別の歌だったのを、前半の素朴な民謡ふうの歌にむりやり接合させた可能性がある。

二首目の歌も、接合とは違うが、冒頭と末尾とに現われる「大和」のうち、前者は天皇が今在り今目にするヤマト（奈良）だが、「国原はけぶり立ち立つ　海原はかまめ立ち立つ」という対句表現を境に領国全体のヤマト（日本）に変わっている。奈良なるヤマトには「海」がないので「かまめ」（鷗）が舞うのはおかしい、と先生は言い、田舎者もなるほどと頷いた。

見えにくい＝見にくい光景をめぐる田舎の国語教師の疑義が、今日の万葉学の最前線でどうなっているのかわからないのだけれど、手元にある碩学の釋注本は、そうした「視野に立つ者には、この古代特有の詩想は理解できない」としたうえで、次のようにつづけている。

〈天皇は奈良なるヤマトの池どもを「海」と見、そこに舞い立つ白い水鳥を「かまめ」と見たのであろう。そのように思い見たからこそ、「うまし国ぞ」と称揚された末尾の「大和」は、陸と海とによって成る〝日本国〟全体の映像をになうことになった。まえの「大和」には枕詞がなく、あとの「大和」には枕詞「蜻蛉島」が冠せられているのも、このこととかかわりがあろう。「蜻蛉島大和の国」は日本に対する神話的呼称の一つで、五穀の豊かに稔る聖なる国の意であり、一首の文脈によく合う〉（伊藤博『萬葉集釋注』一）

おそらくこれが学界の模範解答ふう解釈なのであろう。学術的な正しさを肯いながら、「真にローカルな人間」志願者の当方はなおもひとりごちる――ふくしまよ、あきつしまよ、と。もちろん異論にもなにもなっていないし、異論を展開するつもりもないのだけれど、『地球にちりばめられて』や『献灯使』を読みながら幾度も口をついて出たのもこのつぶやきだった。たとえば『献灯使』の終り近く、教室の黒板の前に広げられた大きな世界地図を見ての無名の反応は、まさしく原初の「あきつしま」の歌とコウインシデンスするものではないか――「地図が風を受けて大型ヨットの帆になってふくらむと、潮のにおいが鼻をつき、波音が聞こえ、それに合わせて身体がゆっくりと揺れ始める。髪の毛が海風に吹かれておどり、ウミネコの叫びが青空を裂いた」。

〝井中者〟が〝異中者〟に変身する時に幻出するこの光景は、『雪の練習生』（二〇一一年）に記された「諸言語の文法が闇に包まれて色彩を失い、溶けあい、凍りついて」いる「海」とひとつながりのものであろう。

日本語文学の重要な作家になる前、アメリカで『万葉集』と劇的な出遭いを果したリービ英雄は、われわれが愛惜してやまぬ「世界文学としての、万葉集」について「もしかしたら世界にも例をみない、詩歌の集大成なのではないか」と思うようになったと書いている（『英語でよむ万葉集』岩波新書、二〇〇四年）。

「日本語を書くようになる前につづった、ぼくのはじめての『創作』」だというリービ英雄による英訳 *Man'yoshu* (vol.1)（プリンストン大学出版局、一九八一年）を私は愛読書の一冊としているが、それに基づく岩波新書の1〈ちいさな「くに」の雄大な想像力〉は、「大和には群山あれど……」の歌をめぐる回想からはじまる。十九歳の秋にリュックに『万葉集』の古い文庫本を入れて大和に出かけた青年リービ英雄は、京都から奈良まで歩き、秋のやわらかな日が傾きはじめた時刻に、飛鳥村にたどりついた。前もってこの長歌を読んで、「国見」をするその眼下に広がる風土を、「かぎりなく雄大な領域として想像していた」青年は、山というより丘を少し大きくしたくらいの小さい香具山とその周辺の「雄大とは言えない」風景を眼の当りにして記す——〈どこにも「海原」はなく、「かまめ」が飛び立つはずもない。その日、ぼくはある種の失望を感じた〉と。しかし、何年かあとにさまざまな学説があることがわかり、「小さな風景とはうらはらに、雄大で厳かな対句が頭に響き、そこには陸と海をかかえた大きく構造的な想像力がはたらいているのが分かった。ことばそのもののスケールに少しずつ、ぼくは圧倒されてきたのであった」と書くに至る。

ジャパニーズ・ライターの「構造的な想像力」による「ことばそのもののスケール」という言い止めが、「小さなもの」を大切にしながら大いなる想像力をはたらかせることを特質とするわれわれのディヒターの文業を語るうえでも有効であると思われた当方の脳裡に、『地球にちりばめられて』のどこやらで誰かがつぶやく言葉――「デンマークは小さくていいんだ」が不意によみがえる。

ヤーパンを求めて

小文字のジャパンが西欧で漆器を指すことを知ったのはずいぶん昔である。フクシマを掘串のフクシモと混用させた時と同様の、田舎者特有のテイストが、大文字とはまったく別の「小」さなモノとしてのジャパンを愛おしく感じたのだった。

さて以下に記すのは、この小文字のジャパンよりいっそう「小」「少」「遅」「穴」にひりつくタデ虫色が濃いエピソードである。それは、ちっぽけで「少」い情報に基づく「遅れ」を伴う「穴」だらけの記憶で、おそらくは当方にありがちな思い込みとカン違いを含むものと思われる、と書き加えて、「まだ」『献灯使』の当方好みの、しかし何ということもない一節を引いていなかったと気付いた。遅すぎるかもしれないが、それは、こうだ。一時流行した東京野菜に「蓼」があるけれど、「蓼食う虫も好き好き」という諺が蓼に対する偏見を生み、他の県には蓼を栽培しようなどという物好きな農家はなかった、と前置きした後、作者は次のようにつづける。

〈義郎は、「蓼」という字を書く度に、文字を書くことの喜びに引き戻された。爪で樹木の外皮をななめに引っ掻く猫科の動物の子供になったつもりで、ゆっくりとこの字を書いた〉

われわれも多和田作品を前に「猫科の動物の子供になったつもりで、ゆっくりと」種々の一節をカキ写したいが、タデ虫色が濃いエピソードとやらに戻らねばならない。

万葉の昔から日本語文学にも広く浸透した中国で最も早く編まれ、最も重要なものとみなされた総集（アンソロジー）『文選』によれば、「蓼虫」とは蓼食う虫が他の野菜を食べようとしないことから、困窮の中にあっても志を曲げぬ高潔の士をたとえる語であったという。人の好みはさまざまで外部からは分からないものだという日本語の今日的意味と少しズレがあるようだけれど、ディヒターも語っている通り、日本語の「虫」に「夢中になる人」のニュアンスがあることを考えると、どこかでつながっている気もする。

自身を「志を曲げぬ高潔の士」といえばマッチョなこっけい味さえただようが、蓼虫といいかえれば似つかわしい感じがするから不思議である。

「穴」だらけの記憶をよみがえらせたのも、「ふくしまよ、あきつしまよ」のつぶやきだった。もう十年以上も前にさかのぼるが、まだハンブルクに住んでいた頃のディヒターの誘いにのって、ベルリンでのある「小」さな催しに参加した後、なんと数日市内見物のガイドをしてもらうというぜいたくな体験をした日々を死ぬまで忘れることはないだろう。この個人的な愉楽の数々の中から一つだけ、ここに書いておきたい。

「無名は見えないところに毎日筋肉を蓄えていく。外にもりもりと発達するこれみよがしの筋肉ではなく、無名にしかできないやり方で歩くのに必要な力が網のように身体の奥に張り巡らされていく。もしかしたら二本足で地を歩くという人間のやり方は最上ではないのかもしれない、と義郎は思う。人間が自動車に乗るのをやめたのと同じで、いつか二本足で歩くこともやめ、今とは全く違った移動法が生まれるのかもしれない。みんなが蛸のように地を這い始めた時、無名はオリンピックに出場するかもしれない」

ベルリンの街を先導するディヒターの歩き方が無名とまったく同じだというつもりはないけれど、ディヒター「にしかできないやり方で歩くのに必要な力が網のように身体の奥に張り巡らされて」いることを幾度も実感させられたのは確かだった。ハイネの『精霊物語』（小沢俊夫訳）の一節を思い起こす——「踊りは空気の精にとって特徴的なものである。彼らは非常に精気的性質なので、わたしたち人間のように散文的に普通の歩き方でこの地上を歩きまわるはずはない」。

「失くしたかかと」をさがして歩くみたいな心持ちで、あるいは「雲を拾う」ふうの仕方でわれわれ一行がさがし歩いたモノ——それが遅れてしまっているエピソードだ。『ヒナギクのお茶の場合』（二〇〇〇年、新潮社）は、『雲をつかむ話』につながる「雲を拾う女」を含む興味深い短篇集だが、その一篇「ほかひびと」のプロローグ中の断片をかりるなら、「……重い額を時々上げて、目を注射針ほどに細めて、辺りを見回し、闇のヤッキョクを探す様子」に近いといえただろうか。

何か変わったベルリン土産をとせっついたわけでもなかったが、身体の不調全般、何にでも効くというふれこみの「よくお婆さんたちが愛用している」万能薬がある、とディヒターは言い、それをさがしに足を運んだが、望みの品はあっても一つ二つで、何軒もハシゴして数種類をある程度の数入手したその小さな瓶の表書きには「日本(ヤーパン)」と大書され、日の丸印まで付いているものもある。万能薬だというあの名がなぜヤーパンなのかはその時点でよくわからなかった。帰国してからも長いこと不明のままだったが、辞書と首っ引きで表書・裏書を解読(?)した結果、要するにその液体の成分は、海の向うで言うミント、日本の薄荷らしいことがぼんやりとわかった。日本の薄荷は独自の薬効成分を誇るスグレモノ云々という情報を得て、ゲンキンにも土産物を愛用するに及び、その良質の薬効性を体感するに至ったのはつい数年前である。

万能薬のヤーパンは商標名(の一部)なのか、手元の辞書には見当らない。しかし、私は、小文字のジャパン=漆器に勝るとも劣らぬ親近感をこれに抱いた。さすがに〈変身のためのオピウム〉扱いするということはなかったにしても、である。

そして唐突に、福島が若菜を掘るための道具フクシモであり、日本に対する神話的呼称の「蜻蛉島」のアキツがトンボのことであったたわいのない事実に思いを馳せた。福島県西部には「田の神とんぼ」などという表現もある。

このアキツが、カカシと田んぼ神同士の親セキであることは疑いないだろうと考える当方に『献灯使』中のコンテクストを欠いた断片が去来する。

〈隣の家から青空に吸い込まれそうな女の子の歌声が聞こえてきた。
「とんぼ、とんぼ、どこ飛んぼ」
澄んだ高い声で「とんぼ」の「と」が義郎の頭蓋骨に直接響いた。幼い声の持ち主は、自分の目でトンボを見たことがあるんだろうか。多分ないだろう。トンボを最後に見かけたのがいつだったか義郎は思い出せない。実際には見ることができなくても、少女の歌う歌の中にはトンボがいた。半透明の羽根と節のある細い胴体がつっと真っ直ぐに飛んだかと思うと一瞬空中に停止して、意外な方角に向きを変えて、またつっと飛ぶ。たとえ一瞬であっても空中にとまっていられるなんて不思議だ。一度でいいから無名にトンボを見せてやりたいと義郎は思う〉

われわれは「日本（ヤーパン）」の枕詞の「あきつしま」のことを思いながらこの一節にトンボのようにとまる。天皇制イデオロギーのヨロイを脱がせて「あきつしま」の原初の歌を歌えば、その「歌の中に」いるトンボがなぜ神の化身とされたかもぼんやりわかってくる。

ああ、その親愛なる「あきつしま」は、Ｆｕｋｕｓｈｉｍａ災禍に代表される大惨事によって、フクシモで春菜を摘むことすらできなくなってしまった……われわれのディヒターがそうあからさまに嘆いているわけではないが、作中にある「財産地位には、雑草一本分の価値もない」という「くさいセリフ」に託された気がかり、心配にみちた憤りは深い。

「青空に吸い込まれそうな」と形容される歌声の主の名は睡蓮というが、この睡蓮のイメージは『地球にちりばめられて』のモネの名画にまつわる描写にも登場する。われわれの眼には、この少女が転形・変形した者がＨｉｒｕｋｏであるように思われる。

みにくいヒヒルの子

『地球にちりばめられて』のＨｉｒｕｋｏに、私は多和田文学の妖怪変化の最たるモノ――カフカの狩人グラックスに相当する「一羽の蝶」を垣間見る思いがしたのだが、「変態」の象徴として用いているので、その前身をトンボ（的なモノ）といいかえてもかまわない。

「筋を話せといわれると、実のところ、私にもちんぷんかんぷんで、ちょっと困るのだが」とロシア文学の巨匠の口真似をしつつ、冒頭に掲げた日本学の巨匠に、ヒルコという名の起源の風景について教えを乞えば、トンボ同様、翔びかける蝶の古名が様々な変幻をたどったことがわかる。記紀神話中の蛭子神についてはノートＩでふれた覚えがあるが、柳田、折口という二人の学匠詩人の説をつなぎ合わせると、ヒルコのヒルは、蛾や蝶を表す意味の「ひる・ひひる」と同じ言葉で、繭ももとはヒルといっていたらしい。節分の鬼をおいはらうための棘のあるヒイラギなども同源とされる。

柳田の文はひとたび足をふみ入れるとたちまち道に迷ってしまうほど複雑多岐な奥深さをもつ。「ヒヒルの分化」（『西は何方』）と題された一章を今ひもといてみようとするが、「一つの手掛りはこの虫の親、すなわち蚕の卵を生むものがヒヒルであり、そのまた前身の繭に籠るものが、これと同様にヒヒルである」というような文の前後をひとわたり見渡すだけでも容易ではないものの、「蒜と柊と毛虫」「蛭と蛹」「蛹と蛾」「蛾と蝶」といった前後の小題をあげただけでも、われわれが見据えたい変幻する「見にくい」モノの本性に迫る考察であることがわかる。「このヒヒルという一語が、当時どういう閲歴を有し、爾後またいかようの有為転変を重ねたかを、尋ねてみる必要が生ずるので、幸いなことにはこの語の歴史は、あくまでも伝奇的であり、また代表的でもあったのである」とつづく「ヒヒルの分化」の一文などを読んだ当方は、カフカ「父の気がかり」の冒頭部分や、すでに引いた『日記』の「弱さ」を抱えた「ぼく」が「時代を代表する」という表現を思い起さずにはおれなかったが、同時に、万葉的妖怪変化の化身をヒヒルに重ねる思いもあったのである。

「ヒヒルという語の本義は古いために今は不明に属している」という柳田のヒヒル考に、「誰も単語の意味を見つけられずにいる」オドラデクだがもちろん「現実に存在しなければ誰も研究なんかしないだろう」(多和田葉子訳)というカフカの一文を対置しつつ、これらの「語の歴史は、あくまでも伝奇的であり、また代表的なものでもあった」ことに思いを馳せる。

私は勝手に、多和田文学の話者の「代表」として、「有為転変を重ねた」ヒルコを選んだ。そそくさとそう断じて、冒頭に戻ろうとしているのだが、歪んだその形は容易に見定め難いという意味でみにくいと、そう強調すれば高名なアンデルセン童話「みにくいアヒルの子」のダブルイメージをまねき寄せるのは必至だろう。シロクマ三代の物語『雪の練習生』の初代のつぶやきがよみがえる。サーカスの花形から作家に転身し、自伝を書く「わたし」は、こう語っていた――「わたしだけが白くて不細工で、まわりの女の子たちは、痩せて、鼻が短くて、額が広くて、色がすてきな茶色で、自信ありげに肩をいからせて歩いていた」。

パンスカという私製の北欧共通語を創りあげ、オーデンセのメルヘン・センターで子どもたちにおとぎ話を伝える仕事に従事する〝さまよえる日本人〟Ｈｉｒｕｋｏに魅かれるノルウェー人青年の名前クヌートが、二十一世紀版のアンデルセンを重ねた。Ｈｉｒｕｋｏの姿に、私は『雪の練習生』のホッキョクグマの名前でもあることに遅れて気づいた後、さらに遅れて、内容がまったく似ていないにもかかわらず、カフカ的動物寓話の系譜に属するメールヒェン小説『雪の練習生』にアンデルセン『雪の女王』のアウラもさしていると感じたあげく、「そういえば、クヌートというのはアンデルセンが堅信式を受けたオーデンセの教会の名前で、その時の体験から後にあの『赤い靴』を書いた……」などと文字通り他愛のない連想を広げたのだった。

かつて、晩年のアンデルセンと親交のあったデンマークの思想家、文芸史家Ｇ・ブランデスは、みにくいアヒルの〝歪み〟が正されて救い（主）が到来するシーンで、主人公が――「みにくいアヒルの子だった頃には、僕にこんな大きな幸福が授かるとは思わなかったなあ」と感慨をのべるエピローグ部分をめぐって、「子供に美しい白鳥だとほめたたえられて悦に入る姿は少しくみっともない……さらに高く高く羽ばたいて、荒野を目ざして飛んで行けばよいのに」という意味のことを書いた。

この感想に同意する人が「少」いかどうか私にはわからない。いまだ「あのちっぽけなもの」と自ら呼ぶ状態にとどまっていた童話の読者対象を成人にまで広げる機縁となった「みにくいアヒルの子」は、初校では「白鳥の雛」だった。印刷所におくる直前にタイトルをあらためたという。このささやかなタイトル変更が、童話の巨匠誕生に大きな役割を果したことは疑いない。

〈どんなところ「まで」行けば〉――は〈そこへ行き着き「次第」〉というカフカの《bis》論争ふうの二重性にさらされると私が勝手に考えたわらしべ長者ならぬわらしべ女者たる多和田文学の典型的キャラクターとしての「代表」者の行き着く果てはどんなものなのか？　クロイツング(四つ角)に立って、どちらに行こうかと迷う『百年の散歩』の「わたし」が、トゥホルスキー通りでつぶやく次のような言葉にその暫定的な答えをみつけた、と言えるかどうかおぼつかないが、われわれの視点は、日本語文学に特有の掛詞的あるいは縁語的なものだと、序詞ふうにいいひらきしたうえで書き写しのリビドーに従っておきたい。

「あの人に何をしていたのと訊かれても答えられないような時間を流してみたい。どこにも行かないことを宣言したい。わたしは一生どこにも行きつかないことを誓います！」

オチカエリの練習生——多和田葉子ノートⅢ

toward Tawada

プルーストの『失われた時を求めて』を私はかつて三回通読し、その都度まったく新しい発見を伴う感動を新たにした経験がある。本を書くためという一種不純な動機による三回目でも、深く心を動かされた記憶は鮮やかだが、にもかかわらずこの大作をたしかに読みほどいたという実感をもつに至ってはいない。再び精読することもおぼつかない。せいぜい何種類かの翻訳文から書き写したおびただしいノートを読みかえすくらいが関の山だろう。

ビジネスで本を読み感想を記すのはやめて久しいけれど、一人の著作家の文業をえんえん読みつづける内発的な作業から遠ざかるのはやはりさびしいなどと思っていた二〇一七年春頃、新しい風が吹きはじめた。以来、多和田葉子の日本語で書かれた作品群を受取り直すノート作りにいそしむ年月が流れたのである。

プルーストふうにそれを表現すると、〈多和田文学の方へ〉となろうか。〈の方へ〉に用いられた原語の côte とニュアンスは異なるだろうが、中学生の頃に習った英語で toward Tawada と記してみた。田舎者の訛音でこの二つの語をつぶやくと、ほとんど同じになり韻を踏んでいるような気がする。t、w、dという三つの子音をスキップしつつ、辞書にある toward のニュアンスを書き写してみる。〈方向・目的・対象・時間〉……に向かって、……の方へ、……の方を向いて、……のために、……の助けとして、……に対して、……に近づいて、……に近く、面して、……を考えて。英語すらものに出来ないまま老いさらばえてしまった田舎者のアタマにどうしてこの単語が刻まれたかといえば、たぶん、〈そこへ到達するしないに関係なく〉という一点に興味関心があったせいかと思われる。

私は『プルースト逍遥』以前に『カフカ入門』という本を書いたが、必ずしも到達を意味しないニュアンスの「……の方へ、……に向かって」の運動は、『城』に代表されるカフカの一連の作品の受取り直しにおいてすでに体験済みだったといっていい。カフカ「に向かう」大方の読者がこの体験を共有しているはずである。

プルーストは『見出された時』で、読者によびかけるふうの口ぶりで〈……実を言えば、一人ひとりの読者は本を読んでいるときに、自分自身の読者なのだ。作品は、この書物がなければ見えなかった読者自身の内部のものをはっきりと識別させるために、作家が読者に提供する一種の光学器械にすぎない〉と書いている。当方の場合も、プルースト的に高度なものかどうかはともかく、この四半世紀余りの卑小な自身の実存史を読み込む作業と不可分の領域に、他ならぬ toward Tawada が揺曳することが確認され、我ながら驚かされた。

その驚きを当方の実存史とやらの節目とからめて語るのは難しいけれど、せめて toward Tawada の作品中の言葉で代弁してもらうために、カフカの〈城〉のように立つトゥウォード・タワダをさらに曖昧化させ、トゥウォード・タワーと呼びかえてみる。このノート全体のタイトルも含め、章立ての小見出しは当方好みの「でくのぼう」の化身カカシの如くにある。まずはじめに toward Tawada を立たせたわけだが、それが多和田葉子の文学の実像に肉薄するのに〝役立たず〟であることをのっけからことわっておきたいのである。たしかに二〇一七年春以降、数年がかりで、多和田葉子の日本語作品群を（既読・未読を問わず）ノートしながら読み続けるという内発的な行為は〈読者教〉信者の実存史において特記すべきことだった。若年より親しんだキルケゴール、カフカ、プルースト、ベンヤミン、ボルヘスといった世界文学の巨人たちの文業は、カフカがキルケゴールに対して言った通り、「隔絶した高さに輝く」キラ星であるが、それらと同じ世界文学の星座布置にきらめく多和田の作品は、何といっても翻訳を介さず日本語で読める同時代の文業であり、そしてもう一つ書き手が女性であることも決定的だった。エッセイ集（と簡単にくくることはできない本なのだが）『カタコトのうわごと』（一九九九年、青土社）の中で、多和田は、神話的なものが日本語に力を与えてくれることにふれたくだりに「しかし、日本の歴史の流れの中で今ある形に固まってきた神話は、女性の書き手にはあまり力を貸してくれないことも多い」と付言する。言い方はつつましやかだが、「日本の歴史の流れの中で今ある形に固まって」しまった男流神話への批判は根源的で的を射ている。はやい話、当方が反復読書してきた文業の中で圧倒的に優位をしめている書き手の性は？　とあらためて自問するまでもあるまい。ベンヤミンがいう「テクストの発揮する力」によって「自分の内面の新しい眺めを知る」書き写しの体験——それこそプルーストのいう自分自身を読むいとなみに重なる——を、かの平安時代の女房文学の担い手たちが味わったであろう愉楽と共に反復できた歳月に合掌する他ない。

カフカがミレナへの手紙に記した〈それにもかかわらずに感謝します。じかにこの血の中に入ってくる呪文のような言葉です〉を思い起しながら言うのだが、にもかかわらず、対象をしっかりつかまえられた実感に乏しいのはどうしてだろう。toward Tawada はたちまちトゥウォードド・タワーといいかえるしかない性質の幻の塔に変幻してしまっている。タワー「……の方へ」近づいたと思える瞬間は何度もあったのに、プルーストが失われた時の精髄の比喩に用いた誰もが知る乗り物の移動中に右にみえたかと思うと左に、左にみえていたかと思うといつのまにか、あるいはすぐに姿を消してしまう変幻の山よろしく、トゥウォード・タワーは静止した姿をみせることがなかった。変幻の山でまた思い出したが、ゲーテが『ファウスト』に描出するブロッケン山にも一瞬たとえたくなるような姿をとらえたと思うまもなく、トゥウォード・タワーは雲散霧消といったありさまだった。以下に記す逍遥文は、こうした変幻の姿のままの「山への遠足」にまつわる「呪文のような言葉」の寄せ集めである。

蛸との対話

私は長い間、耽美派ならぬ耽読派の一員としてテキストへの添寝になれてきた。プルーストの大作の高名な書き出しをまねてそんなふうにいってみてもいいかもしれない。耽読の最中、何度かグローカル文学のタワーのようなものが視えた気がしたけれど、そのグローカル文学とやらの定義ができそうにない。かの『徒然草』に出る「しろうるり」のエピソードとまったく同じとまでいうつもりはないにせよ、もしグローカル文学というようなものがあるとすれば、わがトゥウォード・タワダ作品はそれに似るだろうと思う。ついでに、男流読者は自らを「トウド」(=ヒキガエル)と名のることにしよう。『カタコトのうわごと』なる卓抜なエッセイ集を物し、『ファウスト』第二部を〈妖怪変化万葉集〉と命名するに至るディヒターにあやかったつもりで、当方は万葉集の「およづれのたはごと」で応接してみたい。

この「たはごと」を体得しなければ、〈蛸との対話〉ができない、と〝井中者〟の「トウド」は考える。室井なる当方の姓が「井の中の蛙」を絵にかいたふうの生活のわかりやすい暗喩になって久しいという理由からトゥウォード運動をする「トウド」が引き寄せられたわけだが、〈蛸との対話〉とは何のことか。

それも「しろうるり」とはやはり次元が異なるもので、直接的にはプルーストの大作中の

『ゲルマントのほう』に由来する。しかし、今は、プルーストの作品「のほう」ばかりでなく、多和田葉子（の『献灯使』）「のほう」に重なるものでもある。〝異中者〟の何たるかを漠然と告知した一節を、最新訳の岩波文庫版「6」から、〝引きがえる〟する（引用をかわるがわるくりかえすいとなみを指す、ひとりよがりの造語が〝引きがえる〟だ）。

「われわれは病気になると、自分がひとりで生きているのではなく、ある異界の存在に縛りつけられて生きていることに気づく。われわれとはさまざまな溝で隔てられ、われわれを知りもせず理解もしてくれない異界の存在、それがわれわれの身体である。たとえば街道で追いはぎに出会ったとき、われわれの不運に同情させるのは無理だとしても、追いはぎ自身の利害を悟らせることはできるかもしれない。ところがわれわれの身体に憐憫を求めるのは、タコを前に駄弁を弄するに等しく、こちらの言うことなどタコには水の音と同様なんの意味も持ちえず、われわれは生涯こんなものといっしょに暮らさざるをえないことに愕然とする」

特に深刻な病にとり憑かれた時、自分の肉体なのに、異物あるいは一種の魔物と化してわれわれのコントロールが及ばないといった絶望的な状況が語られた一節である。とりたてて蛸という動物にアクセントがおかれているわけではないのだけれど、『献灯使』に登場する「蛸に学ぶ軟体動物」をめぐるやりとりを読み重ねるとどうなるか。

〈「昔は軟体動物なんて馬鹿にしていたけれど、もしかしたら、人類は誰も予想していなかった方向に進化しつつあって、たとえば蛸なんかに近づいているのかもしれない。曾孫を見ていてそう思います」

「一万年後はみんな蛸ですか」

「そう。昔の人間はきっと、人間が蛸になるのは退化だと考えていたでしょうけれど、本当は進化なのかもしれない」

「高校生の頃はギリシャ彫刻みたいな身体が羨ましかった。美大をめざしていてね。いつからか、全然違う身体が好きになった。鳥とか蛸とか。一度すべてを他者の目から見てみたいな」

「他者？」

「いや、蛸です。蛸の目で見てみたいな」〉

当方はここで、「いや、それならむしろ〝他己〟と表記すべきですね」と会話に割って入りたくなる。

当方が勝手に〈読者教〉教祖にまつりあげているボルヘスは、自らの「先駆者を創り出す」作家についてのエッセイで「彼の作品は、未来を修正すると同じく、われわれの過去の観念をも修正するのだ」と書いたが、「彼」ならぬ「彼女」多和田葉子のテクストにあっても同じことがあてはまる。いや、「彼女」自身が、作家が自らの先駆者を創り出すというボルヘスのエッセイの存在をおそらくは知らぬまま、ボルヘスとほとんど同じ趣旨の文を草している。「ハムレットマシーンからハムレットへ」（『カタコトのうわごと』）中のひとくさりを引けば「ミュラーを読むことで、シェイクスピアの読み方が違ってくる。つまり、現代文学が古典に影響を与えるのであって、その逆ばかりではないのである」。

「霊媒師の無能に苦しめられる霊の心持ち」という出典を思い出せないカフカのつぶやきがふいによみがえる。〈蛸との対話〉はこうした霊の心持ちへの特別の配慮によって可能になるものだろう。

「違う、違う、芸術作品は子供の世代に向けられたものではない。数えきれないほどの死者たちに、それは捧げられている……」――このつぶやきの主は誰だったか。古いノートをさがしてつきとめた。『アルベルト・ジャコメッティのアトリエ』（鵜飼哲編訳）の著者ジャン・ジュネだ。

二十二人の女神たちが登場する『変身のためのオピウム』の最終章には、「四つ足の生き物で、背中が劇場の屋根になっていて、お腹の下には本が開かれていて、それが舞台になっている」というディアナ神が本を読むと現われる亡霊の影が次のように描かれる。「亡霊達は、不充分な言語を話す、拍子に乗ってリズミカルに、時にはつまずきながら、ディアナは腰を振りすると、劇場全体がぐらぐら揺れて、床や壁が揺り起こされて、突然、いっしょに歌い出す。雷、太鼓、くちゅくちゅ音をたてるくちばし、もごもご言っている口。合間にしゅっしゅっと摩擦音、子音がぼきぼき折れる、一つの音の中には次の音が隠されていて、個体の一つ一つが増殖して、個体は事前の話し合いなしでいっしょに機能し、手をとりあって、どの音節もみな大切、どの句読点も発音される」。ブリリアントな現代詩を思わせるこの一節こそは、霊を満足させる霊媒師のタマヨビ＝蛸との対話のサンプルである。

「現代文学が古典に影響を与える」とディヒターがいった通り、私はこの一節に接することで、たとえばプルーストの『ソドムとゴモラ』中のつぎのようなくだりの読み方が変ったのを実感できた。

「死は無駄ではなく、死者は依然としてわれわれに働きかけている……いや、死者は、生者以上にも働きかけている。なぜなら、真の現実なるものは精神によってのみ取り出される精神活動の対象にほかならない以上、われわれが真に知ったといえるのは思考によって再創造せざるをえなかったものだけで、それは日々の生活がわれわれに覆い隠しているものだからである」(岩波文庫新訳版)

プルーストの話者の真意とはズレることを承知の上で、右の一節をわれわれのディヒターの文業に重ねてみる際、何より重要なのは、男流優位の歴史が意識的・無意識裡に「覆い隠して」きた女性性のポエジーそのものが「死者」と同じ位相にあるということであり、「真の現実」を取り出すための「再創造」＝再想像が必須であるということだ。

『ソドムとゴモラ』の巻には、月の出に起きるローマ神話の月と狩りの女神ディアナがちらりと顔を出す。むろん、ディヒターの二十一世紀版の神話と直接の関わりはないけれど、万葉的な月読神を奉じる〈読者教〉信者の脳裡で、『変身のためのオピウム』の最終行が謎の変身をとげる日もあった。――「でもいつの日か、とディアナはうとうとしながら考える、いつの日か、いつまでも起きていていい時が来るだろう。本を読みたいだけ読み続けて、夜を突き抜けて読み続けて、夜は、だんだん長くなり、そのうちに、もう決して目覚める必要のないくらい長くなるのだろう」。右を書き写すうち、まったく別次元のポエジーの切れ端――〈名月や池をめぐりて夜もすがら〉の読み方も変ってしまう感慨につつまれたのである。

感じられる〝他己〟

「他者を益するエゴティスム」の極限の姿を比類のない文体で描ききったプルーストの大作についての数多い論考・研究書の中で、最も秀麗でスリリングな一冊と予感させたものに、J・クリステヴァの『プルースト――感じられる時』がある。邦訳も出ているこの書に限らず、拙著執筆の際、こうしたいわばホンモノの参考文献類を（ベンヤミンのそれを例外として）故意に読まずに済ませた無知な小心者であったが、もし精読すれば蛮勇をふるう気力は失せただろう。書き終った後で、ひろい読みした小心者は、やはり正しいやり方だったとつくづく思わざるをえなかった。

「愛とは、心に感じうるものとなった空間と時間である」という『囚われの女』中の言葉が、クリステヴァの非凡なプルースト考の扉に掲げられている。このシンプルだけれど奥深い一行に対して圧倒的な言葉を与えるのがクリステヴァの仕事であるが、今われわれのノートが思い起こしたのも、批評的なもの、理論的なものをいかにして「心に感じうるもの」に変幻させるのか、というテーマを世界文学的磁場で実践するディヒターのスタンスに重ねたからに他ならず、クリステヴァの豊穣なる批評世界「の方へ」足を向ける余裕はない。

病気をしてはじめて、さまざまな溝で隔てられている異界の存在そのものとしての身体がたちあらわれる、と書いたプルーストの文学にわれわれのディヒターが影響を受けたかどうかわからない。書かれたものから推測する限り、プルーストやボルヘスはカフカやベンヤミンほどのインパクトを与えていないようだが、『カタコトのうわごと』中の言葉をかりれば、「ここで問題にしたいのは、いわゆる作者が受けた影響などというものではなく、第三の作品をいっしょに読んでみることによって、ふたつの作品の間にある構造上の親戚関係が見えるようになってくるような解読の仕方である」。

右は若きディヒターに強烈なインパクトを与えた劇作家ハイナー・ミュラーにまつわる一文だが、同書のはじめ「の方」にある「病院という異国への旅」の中に、後年グローカルな異中者に変幻するディヒターが小学校二年の時に遭遇した腕の骨折体験が語られている。勉強机の上の棚からラクガキ帳を取ろうとして、足をすべらせて下に落ちた。椅子にぶつけた肘の「骨が折れ、ねじれ、気がつくと肘から下が勝手にゆれていた」という。

「痛いというよりも、自分の身体の一部が自分の物ではなくなってしまった感じが恐ろしくなり、大声で泣きさけんだ。まわりに未知のものが現れても自分だけはもとのままならば、それほど深い驚きはない。が、自分の身体の一部が知らないものに変化してしまうのは恐ろしい」

自身の腕が「異物」に変身し、自身の「意志とは無関係にわたしの知らない動きをする妙な物体になってしまったのだ」。

体験自体は世にも珍しい出来事ではないだろうが、ぞっとする体験を味わうために旅に出たグリムの若者を思わせる後年のディヒターのアクションを知るわれわれの眼に、この原体験は、プルーストのいう蛸ならぬ〝他己〟との対話の原型として稀有なものに映る。

もう一つ感心しない意の「ぞっとしない」という日本語は、「をかし」く「あはれ」な表現である。キルケゴールは『不安の概念』の最終章を「グリムの童話には、ぞっとする味を知りたいと思って冒険の旅に出てゆく若者の話がある」と書き出している。グリムのドイツ語では「ぞっとする」(gruseln)だが、キルケゴールの文でははじめから「不安を学ぶこと」に相当する言葉が使われている。「異物」体験を求めて旅に出た若きディヒターの場合も、母国語という「ぞっとしない」言語環境から自発的亡命をはかってでも正しく不安を学ばんとする「意志」が人一倍強かったのであろう。

『カタコトのうわごと』のハジマリ「の方」に右にのべた自身の腕をめぐる無意志的体験が語られているが、終わり「の方」には、意志的な思いが次のように記されている。

〈聴覚と視覚の間、身体の言葉と書かれた言葉の間には溝がある。その真っ暗な溝の中を覗き込むことができるということ自体が面白い。調和ではなく、溝、亀裂、ひびのようなものを舞台の上に作り出したい。わたしがダンスに興味を持つのも、身体が言葉にとって「ひび」のよ

うなものであるからかもしれない〉

言葉にとって「ひび」や「溝」のような身体――それこそは、「どっちにしても大切なのはコトバ、生きているから刻々姿を変えていくコトバ」（「花言葉」『カタコトのうわごと』）と宣言する巫女的文人が、不断の受取り直しの果てに獲得した〝他者を益する自己沈潜〟の凝集物である。この凝集物をわれわれは万葉集にいう「およづれのたわごと」で〝他己〟と書きかえたのだけれど、重要なのは感じられる〝他己〟との対話が可能になるまでにディヒターがなめた「自分のよく知っている世界を離れて、未知の世界に迷い」込んでしまった辛酸の歳月の重みだ。

労働者としてはじめて北ドイツにおもむいたばかりの頃をふりかえった「〈生い立ち〉という虚構」（『カタコトのうわごと』）の中の一行を、われわれは反芻しておく必要があるだろう――「……毎日、新しい印象が波のように押し寄せてきて、わたしは、しばらく日本語を書くことができなくなってしまった」。

当方はこの「波のように……」というくだりに、プルーストの大作を初めて読んだときの翻訳文の一節「われわれの肉体に憐れみをこうのは蛸の前で語るようなものだ。蛸にとってわれわれの言葉は波音ほどに意味はなく……」を重ねたのだった。

「生きているから刻々姿を変えていくコトバ」をテーマとしたといってもよい『変身のためのオピウム』（二〇〇一年）の第六章から切り取った対話――「眠ったままで、どうやって世の中を変えるの?・」「あたしは眠る革命家。だから、眠りの中にしか変革はないって、信じているの」も思い起される。「人は誰でも眠っている間は両性具有だという」一行も含むこの「眠る革命家」をめぐる一節に、プルーストの大作で「眠りの中で眠りを分析する」話者が反復する〈時〉の革命論を対置したのだった。

イナカ者の可能性の中心

〝他己〟との対話を希求する思いだけは早くから共有していた当方はしかし、これまで自発的に海外に身を運んだことがたった一度しかないような正真正銘の田舎者である。その典型的な井蛙の「トウド」にカカシが見る歩行の夢に似た見果てぬ夢があった事を思い出させたのが今般の〝オチカエリ〟読みだ。おちかえる読み、と変幻させてもよいこのいとなみの実態を目撃する現場に、われわれは後に幾度も立ち会うだろう。

たった一度の自発的海外旅行のしょっぱなに訪れたのはアイルランドのマーテロー塔、いわゆるジョイス・タワーだった。

二度目は曲りなりにも著作家デビューの後、訪問先はアイルランド同様、ヨーロッパ周縁の小国デンマークで、ハンブルク経由のおかげでタワダタワーにトゥウォード(……に近づく)することが可能になった。この前後を見渡すために当方の記憶はほとんど役立たずの状態なので、二〇〇四年刊「ユリイカ」誌の〈総特集・多和田葉子〉に付された自筆年譜をひらくと、当方が公的に二回対談する機会を与えられたうちの最初が一九九七年六月である。二回目が二〇一七年四月だから、この間ちょうど二十年の歳月が流れている。

〝井中者〟の「トウド」が、トゥウォード・タワダ体験の恩恵に与ったのが一九九七年六月九日で「ハンブルグのホテルベルヴューにて対談」とあるが、その前後を書き写すと、五月四日　ハンブルグのオペラ座で、ノイマイヤーの「ハムレット」を見る、六月四日　長く放置してあった『飛魂』にまた着手、八月一日　一応完成した博士論文をプリントアウトしてジークリット・ヴァイゲルに渡す、と記されている。

この博士論文の詳細はわからないけれど、『カタコトのうわごと』に盛られた数々のブリリアントな考察から窺い知ることができるものが多い気がする。

当方――というたぶんに男流くさい呼称のかわりに以下、トウドと名のるのも一興かもしれない。要するにトウドが今、何にマナザシを向けようとしているかといえば、最初のトゥウォード・タワダ体験の前後に、ディヒターが精魂込めて準備作業をしていた二冊の書物――『飛魂』（一九九八年、講談社）と『カタコトのうわごと』に対してである（後者は、批評的エッセイが主であるが、たとえば『献灯使』の原型といっていい「二〇四五年」をはじめ、三部構成のそれぞれの末尾に当方が偏愛するいくつかの注目すべき創作が付されている）。

今般のさかのぼり読書で鮮やかに思い出したのだが、当時トウドは、この二冊の本の中に、イナカ者の見果てぬ夢の定義を見出し、歩行する異能のカカシ〈踊る木偶（でく）〉の姿を目撃したのだった。

執筆に（中断を含め）足かけ三年を要したという『飛魂』は他の作品ほどには反響をよばなかったような記憶があるけれど、今次ノートしながら読みかえして、この一作の中に〝井中者〟が〝巽中者〟に変身するための方途が、固いクルミの殻のようなものに封印された形で暗示されている、という当時の実感が正しかったとあらためて思った。しかし、こうした感慨は、二〇一七年春の二度目のトゥウォード・タワダ体験後のキルケゴール的反復によって、受取り直されたものの一つであることを急いでつけ加えておく。当時の読後感を、固いクルミの殻に封印された形で云々と形容したのもそれと関わっている。

トウドが終始すがりつくのは、たとえばカフカの〈八つ折判ノート〉中の次のようなイナカ者の独言である。

〈いつでも準備は整っている、彼の家はどこへでも運んでゆける、それでいつも故郷に住んでいる〉

今、書き写してみても、イナカ者の可能性の中心をこれほどシンプルな評言でとらえたものはないとすら思える。しかし、まさしく箴言の白眉ともいうべきつぶやきを残したカフカの生れ育ったプラハの実情を知るにつれ、ここで宣言されたイナカ者をただの田舎者がまねることは不可能だと考えるようにもなった。ドイツ文化に支配されていたプラハでカフカが生れ育った頃の住民の九割近くがチェコ人であったが、ヴィリー・ハースという文学者によれば、当時ゲットーから解放され、大いに台頭していたユダヤ人は、オーストリア人ないしドイツ人と同様にトルコ人から憎まれていたという。そのような都市で、ドイツ語小学校からドイツ語ギュムナージウムを経てプラハ大学に進学しつつもドイツ人ないしオーストリア人ではなく、周囲をかこむ圧倒的多数のチェコ人でもなく、またユダヤ主義に徹することのできるユダヤ人でもなかったカフカのいう「故郷」なる一語のほんとうのニュアンスをただの田舎者がおしはかるのは難しい。

〈パラドキシカルな蛙〉

アフォリズムの形で重層的な「故郷」考をしたためたカフカは、プルーストのいう「異界の存在に縛りつけられて生き」た作家だった。自分を「知りもせず理解もしてくれない異界の存在」がつきつける〈掟の門〉前で、カフカは祈り、書きつづけた。不可能性そのものの〝他己〟との対話に余念のない類まれな先達として、カフカが実存の危機に遭遇するたび熱読したのがキルケゴールである。

生涯を旅に明け暮れたアンデルセンとは対照的に、小さな国の小さな都市コペンハーゲンをほとんど動かなかったキルケゴールが、外国に身を運んだ例外としてベルリンがあげられる。当方の調べでは、満二十八歳の十月二十五日から翌年三月まで滞在したのを皮切りに三十三歳までに四回ベルリンに旅をしていることが確認された。この間、『反復』が書かれたが、どんな書物なのかここに詳述するのはさしひかえ、反復というものがはたして可能かどうかを知るためにベルリンへ……という著者自身のノートのやや道化じみた断片的つぶやきを掲げておく。

カフカは三十歳の三月にはじめてフェリーツェのいるベルリンを訪問した。もろもろの煩悶の後、五月に再び同地を訪れるが、最初のキルケゴール熱がこの時期に重なる。翌年もベルリンにおもむき、キルケゴールによく似た結婚をめぐる苦悶にのたうちまわったが、すべてはチャラになった。そして、人生のぎりぎり最後、「自立した作家生活」のシンボルとみなしたベルリンでの暮らしを実現させたのもつかのま、病没したのだった。キルケゴールとカフカにとって思い入れの深いベルリンを当方がはじめて訪れることが可能になったのは、他ならぬわれわれのディヒターのうながしによるものであったが、この時、極私的に途方もないギフトをもらった記憶の一端についてはすでにほんの少し語った気がする。今次あらためて前記「ユリイカ」誌の自筆年譜を読み返したところ、二〇〇二年十二月二日「ベルリンの文学工房で」、当方と「朗読、対話」とあり、一九九七年と二〇一七年の toward Tawada 体験を併せ、公的な面談を正確には三度ハンプクする僥倖に恵まれたことがハッキリした。

話の中味は忘れてしまったが、三度とも〈パラドキシカルな蛙〉として、〝他己〟との対話をやり了せたディヒターの前にいたという感触だけ鮮やかに憶えている。

ラーナ・パラドクサ（背理の蛙）はキルケゴールの『不安の概念』にちらりと顔を出す、論旨の中でさして重要でもない一語だ。当時、その変態過程において、蛙から魚になると誤って信じられた、一種の大きなおたまじゃくしに与えられた学名で、キルケゴール（の偽名著者ウィギリウス・ハウフニエンシス）はこれを、学者の分類をあざ笑って反抗する者のたとえとして用いている。

背理の蛙はもちろんでたらめだったが、はてしない〝他己〟との対話の果てに世界文学の回遊魚として自在な泳法を体得したディヒターの前で、〝井中者〟のトウドは、生物学的な成長段階を逆転した形の「変態」蛙の妄想に望みを託していた。しかし、それぞれ別種の仕方で、〝他己〟との対話術のコツをおしげもなく開陳してくれたにもかかわらず、トウドの妄想は、大きなおたまじゃくしのまま「変態」をとげることはなかった。それでもトウドは、「変化」に対する一種の信仰のようなものを抱きつづけている。この場合「変化」をヘンゲとよむべきだろう。

――妖怪変化におののかぬがよいぞ。

当方の愛読書『ドン・キホーテ』の主人公がもらす右のセリフが唐突によみがえる。さらに、アンデルセン童話「おやゆび姫」のはじめのほうに登場するみにくいヒキガエル（アンデルセンには「ヒキガエル」というタイトルの童話もある）の「コアックス、コアックス、ブレッケレケケックス！」という叫びも。クルミの殻の中にいるおやゆび姫を見て発するこの一語しかヒキガエルはものがいえない。数少ない貴重な異国滞在体験の最中、当方が発しつづけたのもこれに似たカタコトのうわごと、いやおよづれのたわごとだった。唐突ついでにつけ加えれば、トウドを、トートと訛って発音したあげく、「コアックス、コアックス、……」をトートに特有のトートロジー（同語反復）などと「変化・変態」させたくなったりするのである。

オバケのようなオマケ

穴に棲みなす妄想蛙は、カタスミの場処を好む本能のせいか、書物におまけとして付された註記（おおむね巻末か欄外などに小さな文字で印刷されることが多い）――それも特に著者自身によるものを偏愛する。たとえば『不安の概念』は、ボルヘス流の言草を真似ると、本文よりも註記のほうが面白い、といささか乱暴な言い方をしたくなる本だが、そのオバケのようなオマケの註の中で、トウドが心に刻み、件の異国体験時にも反芻していたものが第二章にある。〈変化（アルテラシオン）ということばは、両義性を言い表わすには、いかにも適切である。一般に「アルテレーレ」は、変える、そこなう、元の状態から抜け出させる（別のものになる）という意味で用いられているが、「変えられる」は、おどろくという意味でも使われている。おどろくことは、根源的には、変えられることによって最初に出てくる必然の結果だからである〉（田淵義三郎訳）

われわれのみるところ、キルケゴールが実名の他に、数多くの偽名著者名義で著書を刊行したことの背後にも「アルテレーレ」の術策がある。変える、そこなう、元の状態から抜け出させるアルテラシオンの魔術に長けた思想家は、自己から「抜け出」た実存を受取り直すための

〝他己〟との対話に全生涯を費やした。その一事に、私はおどろかされつづけてきた。「自己自身によって束縛された自由」でありながら「自由の可能性」でもある不安は、とりも直さず〝他己〟との対話に欠かせない感情といえる。

「コペンハーゲンの夜警」を意味するウィギリウス・ハウフニエンシスは、右の文の後、ラテン人の「アドゥルテラーレ」（姦通する、偽造する）や、フランス人の「アルテレ・レ・モネ」（にせ金をつくる）「エートル・アルテレ」（改悪される、心をかきみだされる）という表現をあげたうえで、次のようにつづけている。

〈わが国では、ふつう日常の会話では、もっぱらおどろくという意味に使われていて、よく庶民のあいだで、「まったく、おったまげた（アルテレーレット）」などというのを聞くことがある。すくなくとも、私は物売り女がそう言ったのを耳にしたことがある〉

われわれのディヒターが特にキルケゴールに関心を抱いているわけではないだろうけれど、極私的な記憶の中で、縁辺がむすばれてしまうのは、はじめての公的面談時に、トウドが「まったくおったまげた」を連発しつつ、ハンブルクからデンマークのアマーガー平原に赴いた一連の旅の印象が関わっている。このアマーガー平原が当方にとって特別の聖地と化していることについて反復してのべるのはさしひかえるが、キルケゴールの偽名著者のいう「物売り女」の声を求めてアマーガー（現地の音ではアマー）への徒歩旅行をおこなった。「アルテレーレット」をじっさいに耳にすることはできなかったけれど、かわりに、アンデルセン童話のタイトル――「アマーガーのやさい売り女にきくがよい！」（Spørg Amagermóer!）を復唱しながら歩いたのだった。

当時、私は、えんどう豆ならぬドイツ語の上に（日本語というせんべいぶとんを敷いて）寝たお姫様のともいうべき試練をくぐりぬけて成立した多和田文学の中核部分に、難解なキルケゴール思想と易しい外観をもつアンデルセン童話とのいわばクロイツング（異種交配）＝哲学とメールヒェンとの〈対話篇〉のようなものをみてとったが、じつは今でもその感触は消失していない。

オチカエリの練習生

当初、本名で出版するつもりだったが、結局は「アンティ・クリマクス」（停止、の意）なる偽名で書かれ、S・キルケゴール刊行という形になった『死にいたる病』の中に、こんな一節がある。

「真理に到達するためには、あらゆる否定性が通り抜けられなければならない、なぜかというに、ここでは、伝説で魔法を解くことについて物語られていることが当てはまるからである、すなわち、楽曲がうしろのほうから逆にすっかり演奏し終えられなければならない、そうでなければ、魔法は解けないのである」（桝田啓三郎訳）

またしても、オバケのようなオマケに目をやる。「伝説で魔法を解くこと」が気にかかる。

本文のコンテクストから蛙の如く跳躍し、ちくま学芸文庫巻末の訳注を読むと、クローカーの『アイルランドの妖精物語』をグリム兄弟が翻訳した書物をキルケゴールが所持しており、そのあるページにこんなくだりがあるという。シェランやスウェーデン西南部に、妖精の王に関する楽曲があり、この楽曲を聞くものは、老いも若きもすべて、いや、生命のない事物でさえが、踊り出さずにはいられない。そして演奏者は、そのメロディーをうしろのほうから逆にすっかり演奏し終わることができたときはじめて、演奏をやめることができる。……

穴に棲みなすトウドは、註記の他にも、本文中の（　）書きなどをとりわけ注視する習癖をもつが、たとえば『死にいたる病』の本文のどこやらにこんなカッコ書きがあったことを印象に刻んでいる――（絶望者のことばがどれでもそうであるように、このことばも、その裏が正しいのであって、したがって、裏返して理解されなければならない）。

さて「変化」をこい願う背理の蛙は、ここに至って、自らをオチカエルという名で変形させる。アンティ・クリマクスのいう真理に到達するために必要な「あらゆる否定性」をくぐり抜ける反復練習を〝他己〟との対話と「裏返して」(?)いいかえたすえに、そのキルケゴール的反復を、オチカエリと翻訳する。

しかし、反復が通常のリピティーションではなく、キルケゴールが独自の意味づけをしたものであるように、翻訳も、ベンヤミンがこの世ならぬ定義づけを施したふうのものでありたいと、無理を承知でトウドは願う。キルケゴール独自の意味づけを知るのに最適のテクストは

『反復』だが、ここでは、知られざる女優論『危機』（大谷愛人訳）から、「メタモルフォーゼとは、最初のものへ帰ってゆくということ、を意味する」というひとかけらの文を引いておく。

「おちかえり」は、あらゆる種類の日本語のポエジーの原液が凝縮されている万能薬のようなひびきの『万葉集』から抽出した一語で、私はこれをキルケゴール的〈反復〉（＝「最初のものへのますます激しい復帰運動」）のホンヤク語として採用したいのである。古い表記では「をちかへり（復ち返り）」となり、「若返る」と「もとの場所や状態に返る、繰り返す」の二義を含む。

大学でロシア語を学んだ後、「言語の意味の重層性をより強く感じた」ドイツ語を求めて、ハンブルクの会社に就職して以降、日本語とドイツ語両方で創作活動を展開してきたディヒターは、暇があると『日本霊異記』『今昔物語』など中世の説話を、ドイツ語の対訳と共に読みふけり、時には書き写したという。漢詩にも関心が深く、漢字という共通の世界語への巫女的な沈潜は、今次のオチカエリ読みの中で、当方が受取り直し、オドロキを新たにした『飛魂』を生み落とした。

ある種の若返り、よみがえりを念じてトゥウォード・タワダ運動をはじめたことを私は隠そうと思わない。およそ二十年余り前の『飛魂』に代表される作品をはじめ、今般、日本語で書かれた主作品のほぼ全部を読んだ。このオチカエリ読みのありようをたとえるものとして、前記の『アイルランドの妖精物語』のひとくさりが連想されたのだった。はじめに記した通り、ディヒターのかけた魔法が解けた実感には乏しいとしても、二〇一八年の作品から、四半世紀以上以前にかけていわば「うしろのほうから逆に」――時には「裏返して」さかのぼり読みすることで、オチカエルのオドロキは更新されつづけたが、しかし、そのためにノートもふくらみつづけ、なかなか書き収められない事態にもおちいったのである。

Book of Change

もとよりこのノートは学術的な作家研究をめざしていないし、評論ですらない。魔女特製のオピウムを大量に吸引したにもかかわらず、魔術的変身はついにかなわなかったのだけれど、それでも「アルテレーレット」をアマーガーの物売りよろしくつぶやきつづけた歳月への感謝を表白する無くもがなのアクションにうながされたのである。

前世紀の終りに至る創作活動を『飛魂』で「代表」させるやり方もこうした極私的モティーフによるが、ベンヤミン的な〈断片の力〉への信心を手離さずにオドロキの実例をあげて〝カカシ祭〟を終る方向に向かわねばならない。

めざす学舎に「辿りつけないかもしれないことも不安なら、辿りついてしまうことも不安」という『城』のKにも似たヒロインの思いの吐露からはじまる『飛魂』を昔も今もヒイキする背理のヒキガエルは、ヒイキのひき倒しの事態もいとわないが、協力を仰いで立ってもらったカカシにはさいごまで倒れないでいてほしいと思う。拙著『プルースト逍遥』のどこやらで、私はこのヒイキなる語を注視した記憶がある。ヒキガエルのヒキとヒイキ（贔屓）が有縁なのかどうかわからないが、中国の伝説によれば、変幻自在な龍は九つの子を産み、その一番目がヒイキなのだそうだ。龍の脚は虎に、一番目の子のヒイキは亀に似ていて重いものを負うことを好む。「重さに耐えて」声援してくれるイメージのヒイキは、大国主神の異名にもある大和言葉のシコ（醜・鬼）とも音が似ている。

魔女特製の〈変身のためのオピウム〉を服用して、これらのヒキ・ヒイキ・シコとその漢語群を眺めると、『飛魂』の世界がぐっと身近に迫ってくる。私はかつて同作を、The book of Changeという名で呼んでいたことを思い出した。しかしこれはじつは、神秘的「占い書」であるとともに深遠な哲学をもつ「思想書」でもあるいわゆる五経の筆頭におかれた哲学的オミクジ集成『易経』の英訳タイトルである。

『飛魂』には、「学問は頼りにならない、占いとまじないだけが救いになる」というヒロイン梨水の言葉があるけれど、もちろんこれをもって『易経』的とみなしたわけではない。Book of Change はディヒターの全作品の総タイトルになりうるものと背理の蛙は考えている。

フィクシオネスとしての〈変化の書〉は、ある種の退屈感を読者に与える。だがその退屈感は、キワメツキのオチカエリの練習生というべき梨水——キルケゴールの女優論中の一語をかりれば「自らのイデーへの奉仕女」が語る次のような性質のものなのである。

「新鮮な驚きがなくなっていくから退屈なのではない。いくら先へ進んでも、驚きが連続して、神経が不感帯を形作ってしまうから退屈なのだ」

退屈感をめぐっては、ついでにもう一つ「ユリイカ」総特集掲載のディヒターの講演「谷崎潤一郎と虚構としての『日本』」にわれわれの頬をゆるませるユーモラスな言及があるので引いておきたい。日本の能に注目していた劇作家の『ハムレットマシーン』を中心に修士論文を書いたディヒターは、能を見ると眠くなってしまい、関心が湧かなかったが、ミュラーを読んだ後、変化が訪れる。「寝てしまったこともありますけれど、寝てしまうこと＝退屈という考え方が必ずしも正しくないということもだんだん分かってきました。それは眠りの脳波と夢の中にあらわれて語る死者の語りのメロディーの間に共通点があるということかもしれないということで、だから、今もみなさまがたの中に寝ている方がいらしても、それは必ずしもわたしの話が退屈だからではないと解釈するつもりです（笑）」

その昔、紫式部が光源氏の口をかりてのべた――日本紀などの正史は歴史の「かたそばぞかし」（ほんの一部にすぎない）の一語が思い起こされる。退屈の「かたそば」しか知らないわれわれに、能に特長的な幽霊（主として負けた側の侍や、無念を残して死んだ女性）の語りをときほぐしてくれるディヒターの洞察は、さらに、シュムパラネクローメノイ（共に死せる者たち）という造語で死者たちへの「忘我の演説」を創作したキルケゴールを連想させるが、その詳細にふれるのはさしひかえ、『飛魂』の世界に戻らねばならない。

かつて私は「学舎には男子禁制の規則はないが、男性が学んでいるのは見たことがない」とある『飛魂』を、東洋における男流思想の総決算書を裏返す多和田版『論語』として読みすすめた。女流が『論語』を読む時の排除感を想像しながら身心に刻んだ感触を今も忘れていないが、今次のオチカエリ読みでは、たとえば二〇一二年の『雲をつかむ話』から「逆に」遡行したことも手伝い、孔子も深く関与したとされる『易経』的世界に連結する部分におのずと目をこらさざるをえなかった。

「書を重んずる時代はとっくに過ぎ去ったのだから……」「書に作者はいないはずなのに……」というように一種曖昧な「書」なる漢語に集約されているものにひどく心ひかれたのである。「出来るのは、繰り返し読むこと」という梨水の言葉から当方は、この書を〈読者教〉の信仰集団を描いたものとみなすことが可能だと確信した。似ても似つかぬといわれるだろうが、私は梨水の語る物語に、ボルヘスが創作した「『ドン・キホーテ』の著者、ピエール・メナール」や「トレーン、ウクバール、オルビス・テルティウス」を、女性性のポエジーによって書き替えた作品として重ね読みすることさえあった。「信奉者が書からの引用を口にする瞬間」が反復して描かれるこの作品から当方が書き写した箇所は数多く、ここにそのすべてを引くのは不可能だとして、私はたとえば梨水が語る次のようなやり方で、多和田作品群を受取り直したといってもいいのである。

「わたしは偶然開いたページから、自分の気に入った語句だけを拾い、書き写し、音読し、それを自分なりに変えていった」

「わたしは自分の読んだ話の筋を覚えていることができない。覚えているのはいつも、ほつれて衣から垂れた一本の絹糸のような一節だけである。それだけは覚えていて、一語一句間違えずに引用することもできる。本全体の筋からはみ出してちぎれそうになっている一筋の糸屑を集め、縒り合わせながら、その頃、わたしは毎日一冊ずつ本を読んでいった」

ディヒターが二〇一六年に翻訳した『カフカ』中の「お父さんは心配なんだよ」の——「とりあえずそれは、ひらたい星形の糸巻きみたいな形をしていて、実際、糸が巻いてあるようだ。と言っても、その糸は切れた古い糸で、だんごみたいな結び目ができていて……」をまずは思いおこし、そしてまた、まったく別次元の古い文——芭蕉『笈の小文』中のあのキワメツキの一語「つひに無能無藝にしてただこの一筋に繫る」などにも、言葉の魂を飛ばすとつけ加えるとしたら、奇態にすぎるであろうか。

「生まれつき飛魂の傾向が強い」と言う梨水は、「霊を集め、霊といっしょに飛ぶこと」の快感を語ってあきないのだが、後にふれる理由もあって、私はこの「霊」が「雲」という字に重なって見えた。「麻酔薬以上に甘い痺れをもたらしてくれる」呪術的な読み・書き・朗唱によって、陶酔薬と同じく、「一度飲めば一生身体のどこかに……隠れていて、突然また蘇る」魂のハタラキを実践者に刻みつけるのだ、というような内容の同工異曲文はたくさんあるが、特に当方が「アルテレーレット」を洩らしたのは、「声を柱にして、柱になった声につかまる」声・木霊・言霊サンミイッタイのコレクターが語る次の一節を見つけた時だった。

〈「声の似ている者たちはお互いに呼応し合う。水は湿った方向に流れ、火は乾いた物に燃えつき、雲は龍に従い、風は虎に伴う。」書の中で見つけた箇所を飽きることなく何度も声に出していると、空が暗くなって、まわりの人の声が遠のいていく。池の縁でひとり書を音読することもあった。沼の泥の冷たい日には脚が凍えるので、沼を越えて池に行くことができなかった。そんな日には、修行林の入り口に立っている古い二股樹の下に腰をおろして、音読することもあった。音読していると、文章の意味がコウモリのようにあわただしく飛び去っていった。そして、その代わりに、言葉の体温が身体に乗り移ってくるようだった〉

「書に肉が染み込み、肉に書が染み込むまで」この学舎で暮そうと話者が決心するのに「十年もかかった」とも語られるが、二十年近く前この作品を読んだ時、右の引用文に「書の中で見つけた箇所」とあるその「書」の文言が、かの『史記列伝』一にも孫引きされている『易経』がらみの言葉であることに気づかなかった。「言葉に棲むドラゴン」の逆鱗にふれることを望む作者が創作したものだと思い込んで読みすごしたが、今次の受取り直しにあってはたちまち吸い寄せられた。長い歳月が経った二〇一二年刊の『雲をつかむ話』の二章にある一文——「北海が近いので、上空をいつもドラゴンが飛び去って行くような風が吹いている。風は龍に従うそうだが、雲は誰に従うのだろう」を思い出さないわけにはいかなかったからである。

オチカエリ思想の真髄が解かれる〈反復〉としてのメタモルフォーゼの書『易経』の解読に従事する幻の学舎に身を置いて久しい修行者である当方の古ぼけたノートにはわれわれの詩人

ボルヘスの手になる詩篇「易経の解釈のために」（『鉄の貨幣』）全篇が書き写されている。それをここに採録する代わりに、『鉄の貨幣』と並んでわれわれの愛惜度がとびきり高い晩年の詩集『永遠の薔薇』の序文の一部を端折って復唱する。

「文学は詩から出発しており、散文の可能性を究めるには、さらに数世紀を要したと思われる。……そもそも言葉は魔術的な記号であって、それが時とともに疲弊し、力を失っていったのだろう。詩人の使命は、たとえその一部であってもいい、言葉が持つ、本来の、今は隠されている力を回復してやることではないか」（鼓直訳、国書刊行会）

『易経』は天と地を意味する「乾」と「坤」からはじまり、「未だ済らず」の意の「未済」に終わるが、それらは連環の構造をなしている。ハジマリの「乾」の巻には、地下に潜む龍が田（地上）に姿を現わして天に昇って降りる云々の記述がある。梨水が身を置く学舎は「虎の道」なるものを探求し、その学舎を主宰する謎の女の名は亀鏡というが、易がらみの書をひらくと、「亀卜」とか「遊魂・帰魂」という『飛魂』の世界を思わせる語が散見される。その関わりについて語るのもやめ、『飛魂』のある登場人物の言葉に耳を傾ける。

〈「乾」というのは、それだけで立つ概念ではない。それは、ずっと遠いところで、色彩や星座とも結び付く、と紅石は言った。その結び付きが分からなければ、乾を理解することはできない、と〉

われわれは、このノートの各所に立たせたカカシふうの小見出しを思い起したうえで、「それだけで立つ概念ではない」と口真似する。多和田文学の乾坤を理解するためには、それらのカカシが声・木霊・言霊によって互いに交信し合い、世界劇場ふうの星座と結び付くさまを想像できなくてはならない、と。

その想像「のほう」へ魂を飛ばすことをよくなしえた時、ディヒターの魔法をとくためのわれわれの演奏をやめることができそうなあるいは、それをなしうる「まで」は演奏をやめられないような気がする。

Ⅱ　序説篇

詩嚢中の錐

著名な登場人物だけでもゆうに五百人をこえる『史記』にはこれまたおびただしい数のいわゆる珠玉の故事名言のモトとなったエピソードが出てくる。東洋の聖書あるいはシェイクスピアにも相当すると思われるそのほんの一例を、われわれの列伝のテーマに引き寄せるためにあげてみる。

〈鼎の軽重を問う〉と〈嚢中の錐〉。それぞれ小さな国語辞典にものっているものだが、二つの中身に直接のつながりはない。前者の今日的な意味は、権威ある人の実力を疑って、地位をくつがえし奪う、あるいはまたその人の価値、能力を疑うことで、後者は、才能のある人は、袋の中に入れた錐のように、たちまち頭角をあらわす、すぐれた人は、衆人の中にいてもすぐに才能を現わして目立つというたとえである。

前者の出典は『春秋左伝』だが、当方は『史記』の「楚世家」ではじめて知った。カナエは釜の古称で、酒食を入れる三脚の容器のこと。故事に出るのは周王室に伝えられる宝器で、これの大小・軽重を問うことから統治者を軽んじて天下を奪う意となったが、一般に知られているのは、世間で言われるほどすばらしい能力・価値があるのかどうか、改めて試されるニュアンスだろう。

〈文学＝ポエジー〉を、詩・批評・物語のサンミイッタイ星座としてあかず眺めてきた当方にとって、三脚の容器の軽重を問うことこそ「読み」の内実を示すものとなる。

後者の出典は『史記列伝』の平原君・虞卿列伝であるが、同伝からは、弁舌の力が百万の大軍より強いということで、戦国時代の趙の平原君が食客の毛遂を評した〈三寸の舌をもって百万の師よりもつよし〉という成語も生れた。

さて『史記』の世界を祖述する余裕をもたないわれわれの列伝は、〈ポエジーの鼎〉〈嚢中の錐〉〈三寸の舌〉を故意に混淆させたあげく、道化師的な舌先三寸ふうのやり方で、苦しまぎれの造語をあわただしく掲げなければならない。

曰く――詩嚢中の錐。

あのドン・キホーテとサンチョ・パンサよろしく、三寸の舌を働かせながら数々のコトワザの類を列挙して愉しむこともわれわれには許されていないのだけれど、詩稿を入れる袋を指す「詩嚢」を肥やす――という成語も、詩の材料をたくさん仕込む意で比較的知られたものである。

ではさらに、〈詩鼎の軽重を問う〉とか〈詩嚢中の錐を肥やす〉とかメタモルフォーズさせれば、いかなるイメージが広がるだろうか。列伝ならぬ裂伝の語り手に似つかわしい三寸の舌を以って、デタラメな成語にむりやり意味をもたせるためにもち出すのが、もう一つの三脚のカナエ――極私・極史に重なる極詩的なるものの構造である。

この序説の序章部分で*「極私的な読みの世界劇場における〝歴史〟劇は、詩的言語によって演じられることが多い」と当方は書いた。ボルヘス論によって著作家の末席を汚すことを許されてからおよそ三十年が経過したという個人史をふまえたうえでの、キルケゴール的若返りの泉を求める動機についても一言したつもりだ。しかしここに至って、当方はよりいっそう率直に――鮎川信夫「橋上の人」の〈ポケットのマッチひとつにだって/ちぎれたボタンの穴にだって/いつも個人的なわけがあるのだ〉というその個人的なわけにふれたい心持ちとなった。もちろん自伝的な告白とやらをおこなうのではない。普遍性をもたぬプライヴェイトな楽屋裏の話に近いものだが、当方には著作家デビュー三十年をことほぐことが不可能な「個人的なわけがある」。

すでに十余年も前から、思うところあって職業著作家の看板をおろす準備に余念がなかった当方がなぜこのような序説を、歴史と伝統のある雑誌に連載させてもらっているのか……ソレガ問題ダというハムレット的問いに対して、当方の詩嚢中に入って久しい件の I would prefer

＊この序説の序章部分……「現代詩手帖」二〇一八年十月号に、連載「〈詩記列伝〉序説」の第一回として掲載された「ピエール・メナールとその先駆者たち」を指す。本書と同時刊行の『詩記列伝序説』に収録。（編集部註）

not to.——その質問への答えは「できれば無しで済ませられたらありがたいのですが」のセリフを吐いてやりすごし、かわりに、件の〈アマーガー平原〉めいた場処に隠れ棲む若年期以来の悲願を実行にうつしえた満足感に浸る下流逸民の惰眠がいかなる機縁で思いがけず破られ、しかもその一事が根源的なリハビリをもたらすことになったのか……と、答えを反転させてみようと思う。

なるべく世間との交渉を避け、隠者同様気ままに暮らしている人を指す逸民には、働かなくてもよい余裕のイメージがあるように思えるので、当方の実態に近づけるため下流なる語をかぶせて用いているのだけれど、二〇一七年四月十九日、下流逸民は「黒い奇異茶店で、その人を待っていた」。実際には黒い奇異茶店などではなかったが、ドイツ語のディヒター（詩人・作家）の化身のような「その人」多和田葉子から、その日、別れぎわに「三年くらい遅れてもいいですから読んで下さい」という詩的にステキな言葉といっしょにいただいた出来たての連作長篇『百年の散歩』（新潮社）の書き出しをもどいてそんなふうに書いてみたくなった。

「店の中は暗いけれども、その暗さは暗さと明るさを対比して暗いのではなく、泣く、泣く泣く、暗さを追い出そうという糸など紡がれぬままに、たとえ照明はごく控えめであっても、どこかから明るさがにじみ出てくる。お天道様ではなく、舞台のスポッとライトでもなく、脳から生まれる明るさは、暗い店内を好むのだ」

自由で孤独な「わたし」が十の通りからベルリンの四季と歴史を眺めるこの《私・史・詩》

的作品をもし読んでから対話に臨めば、右の詩的吃音まじりの一節をしみじみと反芻しながらディヒターを待ったことだろう。

散文詩のようなという便利な言葉を使いたくなる心持ちを抑え、右の一節を反復して読んでいるうち、やはりサカサマな記憶がよみがえってきた。本誌（「現代詩手帖」）のみちびきで十年ぶりの再会を果し、「言葉そのものがつくる世界」と題された対談を許された（掲載は同誌同年九月号）そのさいごで、下流の〝男流〟は、先のプロローグ部分を読んでいたかのように、ディヒターの書くものには、「言語的な緊張感がもたらす信頼できる暗さがあります」と語り添えたのだった。

その暗さは暗さと明るさを対比して暗いのではなく……。どこかからにじみ出てくるごく控えめな明るさ。お天道様でも舞台のスポットとライトでもない脳から生まれるその明るさが好む暗さ。

ヴァルター・ベンヤミンの考察をヒントに書かれたという詩・批評・物語サンミイッタイの連作長篇に寄り添えなくても、このひとかけらの文が、多和田文学版世界劇場を象徴しうると考える男流は、長い間肥やしてきた詩嚢中の、特異な錐の存在にさらに思いを馳せずにはいられない。

われわれの列伝が詩嚢とおぼしきものから取り出す断片はすでに引用したものだけみても、一様に暗いが、それが世界劇場の名に値する場所での演し物とされる場合、「暗さを追い出そうという」種類と別次元の明るさによって支えられている。そうした明るさの極致の一つを、われわれは性を超絶した世界に棲む道化（師）と呼びもした。

だがしかし、詩嚢という暗い袋の中に頭角をあらわしてきた〈女性性〉のポエジーなる錐は、男流中心の文学史の長い長い歳月の間、道化（師）のカタチをとってすら存在を正当にみとめられない歪んだ状態がつづいた。文学（ばかりではないが）に従事する者すなわち a man of letters という英語が物語るマッチョな事態に人類がめざめてからまだ日は浅いといわざるをえない。

男流的詩嚢をチクチクと刺さずにはおかぬ錐の如き言の葉として先のプロローグのひとくだりをあらためて眺めると、その巫女の口寄せを思わせるものいいが、たとえば男流文学の最高度のドラマトゥルギーを誇るシェイクスピアの向うをはった多和田文学版の世界劇場でなされていることが伝わってくる。いや、ただ勝手に当方がそうした読み重ねをしたくなった、と言い直してもかまわない。

たとえば、『マクベス』冒頭、雷鳴と稲妻と共に登場する三人の魔女による人口に膾炙したセリフの一つ、

——Fair is foul, and foul is fair.

「きれいはきたない、きたないはきれい」なる訳で当方の詩嚢に入って久しいこのエキヴォケーション（両義性、あいまいな言い回し）の化身の如きセリフも、今では、男流のマナザシに

よる「きれいはきたない……」のような含みをもつものにきこえてしまうが、魔女たちの会話を特徴づけるものに耳をかたむけると、「いつまた三人で会おうか？」に対して「戦いが、負けて勝った時」（When the battle's lost and won.）とあるような通常の意味が対立する語が対になって独特のリズムをつくっていることがわかる。世界史上のバトルのほとんどがマッチョな病に原因をもつと魔女たちがはっきり言っているわけでもないけれど、待ち合わせの場所を「荒野」（the heath）ときめたうえで、三人声をそろえて件の Fair is foul ……を唱え、「浮んで行こう、汚れた霧の中を」と語り収めるオープニングに、『百年の散歩』の冒頭を重ねた当方はさらに遅れて、同作に加えディヒター近年の三大収穫ともいうべき長篇小説詩（？）『地球にちりばめられて』（二〇一八年、講談社）『雲をつかむ話』（二〇一二年、講談社）をさかのぼり読みした時点で、シェイクスピアの向うをはる〈詩という仕事〉のサンプルをあざやかに見出す思いだった。

極私的にして極詩的なうわごとをさらに重ねれば、ディヒター近年の長篇三作の語り手を、当方は『マクベス』の魔女たちに擬したあげく、これらの話者たちの待ち合わせ場所だという「荒野」が、『百年の散歩』（にとどまらず三作全部に共通する）の話者が「あの人」を待つ「黒い奇異茶店」のように思えたのだった。

『百年の散歩』第二章にあたる「カール・マルクス通り」を観察する話者の「わたし」は、見知らぬ男を見て「誰かに似ている」と記す。

「シェイクスピアだ。もし彼が経済学者に生まれ変わって、カール・マルクス通りに住んでいるならば訪ねていって訊いてみたいことがたくさんある。／シェイクスピアという名前には、あの人の名前とかすかに似た響きがある。でも、そのことに気がついているのは多分わたしだけだろう」

本作が帯の文にある通り「世界中から人々が集まるベルリンの街に、経済の運河に流され、さまよい生きる人たちの物語が、かつて戦火に焼かれ国境に分断された土地の記憶が、立ちあがる」というようにくくられるとしても、通常の物語展開を期待する向きには、まさしく雲をつかむ思いの中、「汚れた霧」の中をとんでゆく魔女たちの姿をとらえるのが関の山であろう。

後世に与えた世界史的影響力の大きさの点で、シェイクスピアとマルクスとは双璧をなす人物であるが、右の引用部分で話者が「あの人の名前とかすかに似た響き」をもつシェイクスピアに会えるなら「訪ねていって訊いてみたいことがたくさんある」と言うその訊ねたいこととはおそらく経済学とは関わりのないことだと思われる。「そのことに気がついている」と感じるのは、ディヒターの長篇三作を通しで読む者だけかもしれないが。

シェイクスピア研究家でもあった劇作家木下順二は先の魔女の呪文 Fair is foul ……を「輝く光は深い闇よ、深い闇は輝く光よ」と訳している（『マクベス』岩波文庫）。

「黒い奇異茶店で、その人を待っていた」『百年の散歩』の話者がシェイクスピアに訊ねたかったのは、「暗さと明るさを対比して暗い」のではない次元に輝く暗さをめぐるポエジーの表現方法だったとわれわれは誤読を承知で深読みする。その方法こそは、男流と女流を対比する視座ではない種類の、文学＝ポエジーの本流に位置するものだ。

ディヒターが操る話者は、総じて、孤独だけれど世界に対する好奇心の強いキャラクターである。その性癖をオクユカシイと表現すれば、たちまち男流のマナザシに毒された慎み深さの類にすぎぬとの非難にさらされるかもしれないが、ここにいうオクユカシとは日本語の本源「奥行かし＝縁故がふかい奥に行ってみたい、深い心づかいがあって引きつけられる」に基づく。謎のソレを知りたい、見たい、聞きたい……が原意のオクユカシキ人間の典型が多和田文学の中核にいることを、三つの長篇を精読してあらためて実感させられた次第だ。たとえば、『百年の散歩』のオープニング「カント通り」に登場するオクユカシキ述懐のカケラを引けば――「知りたいのに教えてもらえないことが肌を焼かれるくらいもどかしいのだ。知りたい、知りたい……」といった具合である。

店内の見知らぬ客たちが話すドイツ語に耳を傾ける話者は記す――「何を話しているのか内容までは聞こえない。三人とも話しながら時々身体を前後に動かす癖があるので、ボートに乗っているようにも見える。言葉の縁、すきま、かすれ、抑揚などだけが聞こえてくる。わたしはいつまでも音だけを聞いている。話の中味を盗み聞きする気はない。子供の頃から、声だけに耳をすまして内容は頭に入れない練習をしてきた。おかげで授業中も先生の声に邪魔されずに、考え事をしたり、ノートに詩を書いたりすることができた」と（「カント通り」）。

かつてベンヤミンは、直接に子どもに向けて語った『子どものための文化史』中の一篇「ベルリンの方言」で、「本物のベルリンの諷刺はたんに他人を犠牲にするだけではまったくなく、諷刺家自身を好んで犠牲にするものだ。そのことがかれを愛すべき存在にし、また自由にする」と話したことがある。

私はこのチャーミングなラジオ放送用の講演集を遅れ遅れて二〇〇八年の平凡社ライブラリー版ではじめて知ったのだけれど「啓蒙を目標」に掲げたとされる放送原稿の内容の高度さに圧倒され、いったいどんな子どもが聴き手だったのだろうかといぶかしく思わないわけにはいかなかった。しかし、先の「カント通り」のひとくだりを読むに及んで、「子供の頃から、声だけに耳をすまして内容は頭に入れない練習をしてきた」と語るようなオクユカシキ人間が大人になってはじめて十全に理解できる性質の語りかけをベンヤミンは実践していたのだと納得した。もちろんこの納得の仕方が〝サカサマ・ポエジー〟に感染したものであると承知のうえでだ。

もう昔のことでしょ　と言うと
「もう昔」は全部今でしょ
と言って回想皺よせる妻

多和田葉子の本邦初詩集『傘の死体とわたしの妻』（二〇〇六年、思潮社）から前後を端折って引いたが、Fair is foul ……と似た節廻しの〝サカサマ・ポエジー〟のにじむこのつぶやきは他の作品にも同工異曲のカタチで顔を出していたと記憶する。

ディヒターの特に近年の作品群には、政治的なものも含め、「諷刺」の類が多くなったように思われるが、しかしそれらが「たんに他人を犠牲にするだけではまったくなく、諷刺家自身を好んで犠牲にするもの」であることは自明だ。「昔の」すぐれた男流たちの「自分自身を罰する者」の系譜にそのまま連なるいわれはないとしても、真の「諷刺」の背後にある「愛」のマナザシにいわば囚われの身になったディヒターを、『百年の散歩』にいう「つまずきの石」が通りのあちこちで待ちかまえている。ベンヤミンが、自分自身を好んで犠牲にすることが「かれを愛すべき存在にし、また自由にする」と語ったその「かれ」にかわって、今は異国から移民のように流れてきた女がオクユカシイ仕方であの三人の魔女たちのそれに似た耳をすます。この女道化師の愛すべき孤独と自由を保証する耳は、一種、怪物めいたものである。

鼎の軽重を問う故事にいうカナエの由来を知るべく再度『史記』をひもとくと、全国各地の長官に各地の銅を貢納させて、その材料で怪物をかたどって鋳造したもので、民衆にさまざまな怪物を認識させその魔性の恐ろしさを教えるとともにそれらの怪物への備えをさせたことによるという。

こうした「昔」のモンスター像は、「人はいつでも彼から学ぶことができるし、しかも、彼を読めば読むほど多くを学ぶことができる」とキルケゴールをしていわしめた世界文学史上最大の劇詩人シェイクスピアのたとえば『夏の夜の夢』四幕一場のボトムなる人物が夢うつつで漏らす話の中に語られているものに似る。

「世にも珍しいものを見たもんだ。おれの見た夢は、そいつがどんな夢かはとうてい人間の知恵じゃあ思いもよらん。この夢を解釈しようなんていうやつはばかだ、ロバと変わりはせん。どうやらおれは——なんになったようだったか言えるやつがいるか。どうやらおれは——そしてどうやらおれの頭には——なにが生えているようだったか言おうとするやつは阿呆だ」（小田島雄志訳、白水Uブックス）

この阿呆と訳された原語は patched fool で、当時王侯に仕えた道化（fool）はいろいろな布をつぎはぎにした衣裳を着ていたそうだ。

名高いボトムの夢語りはこうつづく——「かつて人間の目が聞いたこともない、人間の耳が見たこともない、人間の手が味わったこともない、人間の舌が考えたこともない、人間の心がしゃべったこともない、前代未聞の夢だったよ、おれが見たのは」。

『百年の散歩』の話者が、「道化としてなら生きられる」と思ったかどうかはわからないし、いろいろな布をつぎはぎにした衣裳を好むなどと書かれているわけでもないけれど、おそらく、と当方は推測したのだった。もしシェイクスピアが生まれ変わってベルリンの通りに住んでいるなら、訪ねていって訊いてみたいことがたくさんある、と「わたし」が記すその訊きたいことの一つに、ボトム（底）無しの夢の見方が含まれるのではないだろうか。
The eye of man hath not heard, the ear of man hath not seen, ...
人の目いまだ聞かず、耳いまだ見ず……と反復朗誦してみると、やはり男流（しかも鷗外が用いたような末流）の凡庸な目や耳を、嚢中の錐の如く刺すのは man の一字である。むろんこの場合の man は人一般をあらわすものと学校でも習ったにもかかわらず、ちょうど愛読するH・アレントの『暗い時代の人々』の原タイトル Men in dark Times をみる時のように気にかかったままなのだ。

男流思想家（とその愛読者）をして顔色無からしめるレベルの仕事を遺したH・アレントが深い共感と敬意を込めて描いた普遍的人間列伝には「暗い時代」に自由を求めて格闘した十人の傑出した嚢中の錐が選ばれた。ベンヤミンを含むその十人中には、『百年の散歩』の十の通りの一つにも登場するローザ・ルクセンブルクがいるけれど、女性は他にアイザック・ディネセンしかいない。

思想詩人アレントのブリリアントな著書が『百年の散歩』に直接ではないにせよ、ある種の影を投げている。「最も暗い時代においてさえ、人は何かしら光明を期待する権利を持つこと、こうした光明は理論や概念からというよりはむしろ少数の人々がともす不確かでちらちらとゆれる、多くは弱い光から発すること、またこうした人々はその生活と仕事のなかで、ほとんどあらゆる環境のもとで光をともし、その光は地上でかれらに与えられたわずかな時間を超えて輝くであろうということ」（「はじめに」『暗い時代の人々』阿部齊訳、ちくま学芸文庫）をめぐる「確信」の一点で、怪物めいた目や耳の持主である『百年の散歩』の話者（ひいてはあの『献灯使』の主人公）に重なるように思えてならないのである。

メランコリーの根源

「嚢中の錐」や「三寸の舌」さらには「毛遂自薦」という故事成語も生れた『史記』の「平原君」列伝についてすでにほんの少しふれた。毛遂なる人物に、食客数千人をかかえる平原君が「毛先生、三寸の舌をもって百万の師よりつよし」と己れの不明を思い知らされるそのエピソードにはじめて出会ったのがいつだったか思い出せないが若年の頃であったのはたしかだ。

私はしかしその頃、青雲の志という男流ふうの夢に見棄てられ、もっぱら雲をつかむような精神のいとなみに心ひかれつつあった。シリメツレツ伝に近いわれわれの詩記列伝にふさわしい道化師ふうのマナザシで、先の「平原君」列伝を読み返した時、サカサマ・ポエジーの怪物が幻視された日々のことを思い出す。「ボトムの夢」もどきの方法——つまり、目で聞き、耳で見て、手で味わい、舌で思い、心で発語したあげく、それをアマーガー平原＝〈天河平原〉とホンヤクして悦に入ったとでもいったらよいか。

〝男末流〟が食客としてワラジを脱ぐべきアルジはこの謎の〈天河平原〉にいると私は確信した。そのアルジがとりおこなうウタゲ（宴）の中でこそ詩神に相見えうると考えたのだ。

日本学において種々のウタゲの探究に従事した巨匠柳田国男や折口信夫から学んだ言葉に〈肴をする〉がある。われわれが現在用いる「サカナにする」は酒席の座興にする意だが、昔は「サカナをする」もしくは「サカナする」といった。柳田の『口承文芸史考』には、〈古人が珍客の前に盃を進めて、「肴をする」といったのは歌うことであり、またその歌の面白さを舞うことであった〉と、折口の「異人と文学と」（『日本文学の発生　序説』）には、「あるじのする物」としての「さかなは、ほんたうの喰べ物である。が同時に、歌がさかなとなつてゐるのだ」と書かれている。

俗耳に入りやすい諷刺は、「たんに他人を犠牲にするだけ」（ベンヤミン）の、「サカナにする」態度でなされるが、「ほんたうの喰べ物」としての「あるじ」が供する歌と舞とは「サカナをする」マナーに重きを置くため、自分「自身を好んで犠牲にする」ことをいとわない。学匠詩人たちの説を、そのような差異のニュアンスをもって受取った時、日本語文学本来の歌と舞の初源の姿をみる思いがしたのである。

いや、日本語文学の初源に決定的な影響を与えた〝宗家〟のことを無視してそんなふうにいうのもサカサマな事態であろうが、その宗家の初源に位置する古代東洋史最大の人間星座を描写した太史公こと司馬遷の「サカナをする」アルジぶりを語り出すと収拾がつかなくなるためのヲコの沙汰と許していただく他ない。

若年時、史記の世界に足をふみ入れる機縁を与えてくれたのは武田泰淳『司馬遷』の有名な書き出し――「司馬遷は生き恥さらした男である。士人として普通なら生きながらえる筈のない場合に、この男は生き残った。口惜しい、残念至極、情なや、進退谷まった、と知りながら、おめおめと生きていた。……『史記』を書くのは恥ずかしさを消すためではあるが、書くにつれかえって恥ずかしさは増していたと思われる」であった。

太史公と比較するのもこっけいなほどスケールの小さい「進退谷まった」感覚に追いうたれるように〈天河平原〉に遁走し、そこに流れゆく雲だか霧だかをつかもうとする者にとって、『史記』の世界は、「文学と歴史のけじめがなく、芸術と現実のわけへだてがない」と武田泰淳があざやかに言い止めた通りのものだったが、なにより心身に沁みたのは、太史公が、ベンヤミンがカフカにみたキワメツキの〈挫折の人〉の典型であった一事だ。列伝七十巻のオープニング「伯夷列伝」には、嚢中の錐の如きすぐれた人間を忘却から救うことが歴史を書く一つの目的だと論じられるが、記憶に値すると太史公が意識した人物にしぼられる記述の中、誰の目にも明らかなのは悲劇的運命に翻弄された者に対する興味とシンパシーが脈打っていることだろう。無名時代のエピソードや歴史の大勢に影響するとは思われないささやかな話に、つまりは「小説的なふくらみ」をみせる点も、すでに多くの指摘がある通りだ。小説的な細部に宿る神への信仰を最も古い時代に苛烈にもちつづけた太史公を、われわれが根源的な〈詩人〉扱いをし、太詩公などとあえて誤記することさえあったのもそのためである。

三寸の舌の使い方を誤る舌禍のゆえに、死刑や自殺よりたえ難い宮刑（男根切除）の運命を甘受したことをめぐり、士人としてこれ以上の屈辱はないと自ら記した太史公は、〈極私〉的な思いのすべてを〈極詩〉〈極史〉の編纂に封じ込めた。序文を愛惜し、その名も『序文つき序文集』なる本を出したボルヘスの礼讃文には見当らないが、「太史公自序」は世界文学思想の初源にそびえ立つ最高の序文である。〈極私〉的状況の中に〈極詩〉〈極史〉的なものを重ねみる公の序文は、それら三者のカナエの軽重を問うマナザシによって「自分自身を犠牲」にすることも辞さぬ普遍文学的な立場に立ちえた。

サカサマ・ポエジーに心奪われるわれわれがオモシロク思うのは、七十巻から成る列伝のさいごに「太史公自序」が置かれている一事である。当時の書法に疎いままいうのだが、この蛇足ふうに置かれた序文は、まさしく〝龍足〟とでもいうべきものだろう。

その自序で公は書く——「往時を述べて、来者を思う」と。絶望の底から過去の歴史をみつめるうち、すぐれた業績はすべて絶望の中から生まれたことを発見した、と。

以下、端折ってほんの少し祖述すると——思えば『詩経』『書経』の表現が暗示に富んでいるのは、制約された状況のなかで精いっぱいの思いを述べようとしたからだ。かつて文王は幽閉されて『周易』を発展させ、孔子は危難を経て『春秋』をあらわした。屈原は故国を追放されて『離騒』を創り、左丘明は失明して『国語』を残した。……『詩経』三百篇の詩にしても、そのほとんどは聖賢がこみあげる思いをこめてつくったものだ。

〈人皆意有所鬱結、不得通其道、故述往時、思来者〉

人の心に鬱結しているものがあり、それを洩らすことができないので、このように往時＝過去のことを述べ、思いを来者＝未来に託したのであろう。

ろくに訓めもしない原漢文の一行をP・メナールの心で、あるいはベンヤミンの「書き写す者」の心で転写したのは、じつは、多和田葉子の長篇詩小説（？）『雲をつかむ話』の中に、これに似た星座的なアウラを放つ漢文のカケラが一度ならずちりばめられている——現代の屈原とおぼしき人物を語るページがあり、反復して見入った体験を思い出したからである。「往時を述べて、来者を思う」をテーマとするとみなしてもよい『百年の散歩』と姉妹篇をなすこの小説を読みながら、その話者「わたし」を、〝太詩公女〟なる奇妙な呼び名でよびたくなったりもしたのだけれど、そのことの背後には、卑小な〈極私的〉事情が横たわっている。

私は本稿を三十年前にものしたボルヘス論中の、特にP・メナール考に寄り添うスタンスで開始した。[*] その三十年ほどの歳月から浮かび上る世界劇場の全体像はみえぬままだ。本誌（「現代詩手帖」）のとりはからいによって、ボルヘスとほとんど同じ年限で愛読者をつづけていたディヒター多和田葉子と二〇一七年春に再会をはたした〈極私的〉な意味を、さらに遅れて思い知らされた一事にもすでに少しだけふれた。

＊一一七ページの編集部註を参照。

キルケゴール的反復をもどくつもりで思い出すのだが、遅れとズレを絵に描いたような男末流は、その折の対話で、二〇一七年がディヒターにとって記念すべき年であることを話題にした。ディヒターにとって記念すべき最初の本――邦訳すると「破産書籍出版社」という名の小さな出版社から日本語とドイツ語二か国語の詩集が刊行された年から数えて三十周年にあたることを発見みたいに語った。しかし別れぎわにいただいた出来たての本『百年の散歩』を帰りの電車でパッとひらくと、冒頭で「その人を待っていた」とされる黒い奇異茶店をなぜわざわざ選んだかにふれたくだりに「三十年前に戻りたいという願望のあらわれなのかもしれない」と書かれてあったのだ。八〇年代半ば、まだハンブルクで暮らしていた頃、友人たちと西ベルリンに来て、その喫茶店に立ち寄った記憶から『百年の散歩』は語り出されているが、『雲をつかむ話』もハンブルク在住時代の「わたし」が「生まれて初めて本を出した秋のこと」からはじまる。というより当方が後に遅れて読んだ後者はその最初の本が原因で生じる事件を語る過程で、「雲蔓式（くもづる）」に明かされる「わたし」の奇妙な過去をめぐる物語である。

コウインシデンスを眼の当たりにした男末流の〈極私的〉な感慨は他にいくつもあげられるのだけれど、ここでは割愛し、公的なオドロキに話を戻さねばなるまい。われわれの列伝にとって示唆的な――「作品を解釈するために人生を使うことはできない、しかし、人生を解釈するために作品を使うことはできる」という戒めを含んだ視座に立つ卓抜なベンヤミン論『土星の徴しの下に』（富山太佳夫訳、二〇〇七年、みすず書房）の中で、スーザン・ソンタグは、一九三〇年代の初めに書きあげられながら、生前には公刊されることのなかったベルリンでの幼年時代と学生時代を回想した二冊の本をめぐって、ベンヤミンのもっともストレートな自画像が含まれていると記し、次のようにつづける。

〈そこには、メランコリー気質をあらわにしはじめた彼にとって、学校でも、母と散歩をするときにも、「孤独のみが人間にふさわしいあり方だと思われた」と書かれている。彼の言う孤独とは室内でのそれではない——幼い日の彼はよく病気をした——大きな都会での孤独である。自由に夢想し、観察し、沈思し、歩きまわれる散策者が、周囲のあわただしさの中で感ずる孤独である。メランコリー気質のきわだった自意識家ボードレエルのうちに具体化する散策者を、十九世紀の感受性をよく表わすものとしてやがて取りあげることになる彼の精神は、都会との変幻きわまりない、鋭利でかつ微妙な関係の中から、みずからの感受性の多くの部分をつむぎだしたのである。街路、裏通り、アーケード、迷路は彼の文学的なエッセイに、旅行記や回想記に、とりわけ予定されていた十九世紀のパリについての本にくり返し現われるテーマとなる〉

この後、カッコ書きで（ローベルト・ヴァルザーという作家の隠遁生活と見事な著作の中心にも散歩ということがあった。ベンヤミンがこの作家に長いエッセイを捧げていてくれたらと思わずにはいられない）と補足するが、男末流としては、ベンヤミンよりおよそ百年近く遅れてものされたディヒターの『百年の散歩』の見事な解説として置きかえて読めるこうした一級の男流著作家考が、他ならぬ一級の女流著作家の手によってなされたことに合掌しないではいられない。

当方の乏しい知見と能力からして自然にそういうことになったともいえるだろうが、敬愛してやまぬベンヤミンについて書かれた論考中、〝太詩公女〟の元祖たるH・アレントとソンタグの二篇が白眉のものだとみなすに至った。しかし、文芸思想詩人ベンヤミンへのオマージュは必ずしも評論や論考のカタチをとってなされるわけではない。『百年の散歩』中にはベンヤミンからの引用も彼への言及も見当らない。にもかかわらずそれは、「自由に夢想し、観察し、沈思し、歩きまわれる散策者」が「都会との変幻きわまりない、鋭利でかつ微妙な関係の中から、みずからの感受性の多くの部分をつむぎだした」点でベンヤミンと共振している。

ここで再度、「太史公自序」中の漢語のカケラを掲げてみる。

〈人皆意有所鬱結、不得通其道、故述往時、思来者〉

人の心に鬱結しているもの――不得通其道（それを洩らすことができないので）というところに目をとめる。心の「鬱結」を洩らせない理由については語られていないが、われわれはここで、世界文学の本源にそびえ立つ男流の筆が記す「鬱結」とはまったく異次元の空白、欠落の領域に思いを転じてみる必要がある。

「歴史の若返りの泉は、忘却の川を水源とする。忘却ほどに、ものをよみがえらせるものはない」というベンヤミンの名言の出典を今思い出せないが、われわれの列伝もまた、ひそかな願いである「若返りの泉」を求めてふみ迷いつづけてきた。しかし、「天河平原」とやらの近くにあると思われるその泉の大半が、男流的なあまりに男流的なヨミガエリの水から成る事実をどう弁明しようもない。極私的な出逢い（直し）の奇跡にうたれた事情を機に、女性性のポエジーなる巨大な忘却の闇の領域から姿をあらわしたディヒターの〈詩という仕事〉の全体像につながる打ち出の小槌めくキレハシだけでもあげてみたいと熱望する所以である。

多和田葉子（と、その話者）を、男末流が数十年にわたって愛読するキルケゴール、カフカ、ベンヤミンと同じ性質のメランコリカーであるとみなせば異論が出るだろう。何よりその作品群に寄り添う経験自体がそれを否むだろう。「メランコリー気質のきわだった自意識家」のボードレールや、「隠遁生活」者ヴァルザーに代表される男流散策者と異質の「鬱結」を散らすためのスペシャルな散歩者のありように迫るには、たとえばジョルジョ・アガンベンの『スタンツェ』がブリリアントな文体でときほぐす「メランコリー」の根源考が参考になる……と又しても引き合いに出すのは傑出した男流の著作である。

二十世紀に入って病理として研究対象となった「メランコリー」は、アガンベンによれば、中世の修道士の無気力に発し、「狂気」「欲望」「並外れた詩人」という極端な矛盾を孕む黒胆汁の気質と考えられるそうだ。この三つのキーワードだけもらって、われわれは先のソンタグのベンヤミン頌からの引文のカケラ――「自由に夢想し、観察し、沈思し、歩きまわれる散策者」と並べてみる。

ソンタグの文に中世の修道士の無気力のことは出てこないが、「フロイトの心理学説よりも、四体液説のほうを好んだ」というわれわれ好みのベンヤミン像を提出した彼女は、中世ルネッサンス時代、ユーモアなる語でわれわれに親しい humor の原義が体液を指すのを常識として知っていただろう。四種あるとされたヒューモアの一つに、メランコリー（黒い胆汁）が含まれることも。「知的で上品なおかしみやしゃれ、諧謔」の意のユーモアが、もともと総合的な気質・体質をいい、われわれの知る「気がふさぐこと。ゆううつ。哀愁」の意のメランコリーを含むものであったことは重要である。

拙著『プルースト逍遥』で、究極の道化たるドン・キホーテ（的人間）の顔に浮かぶメランコリー（憂い）が、総合感情ともいうべきユーモアと切り離せないことを記述したくだりにおいて、私はホイジンガの『中世の秋』の一節を援用した。「混迷の生活に打ちのめされ、現在に深く絶望すればするほど、あこがれは深まる。中世末葉、生活の主調音は、きびしいメランコリーであった」と書いたうえでホイジンガがおこなったそのメランコリー考をはじめて読んだ時、私は少し驚いた。「この時代、メランコリーという言葉に、悲しみ、まじめな省察、空想、この三つの意味がふくまれていたということは、注目に値する。なにか、こう、精神のまじめな活動は、ことごとく、陰鬱さにすべりこんでいかざるをえなかったかのようなのだ」

たとえばこの時代、メランコリエは「考えこんだ」、メランコリューは「空想力のある」という意味で使われていた言葉だという。

悲しみ、まじめな省察、空想、この三つの意味がメランコリーにふくまれていたことに、私は思索にとっての若返りの泉を見出す思いがしたのだったが、今、これをふまえつつ、アガンベンの探究に戻ると、ホイジンガの分析にないものが見出される。それが、女性性をめぐる視座である。「白昼のダイモン」とその「娘たち」という中世の華やかな擬人化にふれ、アガンベンはこう書く――「かつて怠惰のイメージに結びつけられていた怠慢と無気力との罪のない混合を思い描くことは、いまや困難になっているのである。しかしながら、ある現象の曲解や矮小化は、この現象がわれわれとは縁遠い過去の出来事であるということを意味するどころか、実は逆に、われわれに親しいということの証である」。

右の一節には原注が付く。本文で引きあいに出されるのはハイデッガーのような優れた男流哲学者の言説であるが、女性性にまつわる小さな記述は特例のオマケみたいに付いている。著書の最終部にひっそりとつつましやかな仕方で付された太史公自序を思わせるその原注に、「怠惰に本来の意味をとりもどそうとする」幾つかの解釈が紹介される中に、ある画家の根本的なモチーフの一つ「美しい無気力（ラ・ベル・アネルシ）」があげられる。「無気力と非生産的な倦怠の暗号としての女性性」――それはアガンベンによればブルジョワ社会において怠惰が怠慢に変装するのと並行して、怠慢が徐々に、生産性と有益という資本主義的な倫理による芸術家たちのエンブレムとなっていったものである。

女性性の化身について、ある画家はこう書いているという。「退屈した風変わりなこの女性は、動物のような性格で、彼女の敵が地にひれ伏すのを眺めるという喜び――それは彼女にとってはたいして大きなものではないが――に身を委ね、さらには、自分の欲望を満たすことにすら嫌気がさしているほどである。この女性は、植物のようにおかまいなく散歩をする……」

植物のようにおかまいなく散歩をする女性。当方はこのくだりを現代詩のフレーズのように読んだ。そして当方好みの符合一致のサンプルとして、『百年の散歩』の話者を重ねないわけにはいかなかった。「トゥホルスキー通り」の冒頭で、頭上にいっせいに吹き出した「AOBA」をあおぎみて、かの芭蕉のように〈青葉若葉〉の才能の開花を体感しつつ「尊敬したくなる」と書き、「樹木は何語で立っているんだろう」と読者は問う。以下、切れ端をひろってつなぐと――「わたしは都会の木が好きだ。それぞれが孤独に大陸を歩いて横切って、やっとベルリンに到着したように見える。まわりを見回しても家族や親戚は一本もない。一列に並んでいても隣の木とは無関係。戦火に幹を焼かれて逃げて来た木もあるだろう。そぞろ神にそそのかされて、ついベルリンまで来てしまった木もあるだろう。そして、わたしのようになぜ来たのか説明はできないけれどもベルリン以外のどんな町にも住みたくないといつの間にか思いこんでいる木もあるだろう」「わたしは歩く樹木」。

私は筆写しながら、ソンタグのベンヤミン論にも言及されている、本を理解する最善の方法に思いを馳せた。ベンヤミンの『一方通行路』にある――ひとつの風景を理解するには飛行機から見たのではだめ、実際にそこを歩いてみるしかないのと同じで、本は筆写してみるまではほんとうに理解することはできない、という意味の言葉を反芻した。

　ベンヤミンの『ドイツ悲劇の根源』についてアガンベンは「ベンヤミンの著作のうちでもっとも読まれる機会の少ないものだが、おそらく彼のもっとも深遠な意図が実現されている唯一の著作」（『スタンツェ』）とやはり注記部分でいいきっている。これを肯って長いこと反復読書してきた当方は、しかし噂通りの難解さの前に途方に暮れるのが常だったが、『スタンツェ』の他に、アレントやソンタグの非男流的な分析に接するに及び、それを〈メランコリーの根源〉と置きかえてみるとほんの少しわかりやすくなることに気づかされた。

　ポエジーの元素ともいうべき本源的なメランコリーのありようは、かつて男流的思想によって悪しきもの・罪深いものとされた女流的「怠惰」の本来の姿に重なる。太詩公女の元祖の一人ソンタグは、『ドイツ悲劇の根源』を柔軟に読みほどきつつ次のように書くが、われわれには『百年の散歩』の話者のことが語られているように思われるのである。

「過去は死んでいるからこそ読むことができる。歴史が具体的なものの中に呪物化されているからこそ、それを理解することができる。それがひとつの世界であるからこそ、本の中に入りうるのだ。彼にとって本とは、さまようことのできるもうひとつの空間であった。土星の徴しの下に生まれた人間は、他人から見られているときにはどうしても眼を伏せ、眼の隅から見ることになってしまう。それならば、うつむいてノートを見つめるほうがましだろう。あるいは本の壁のうしろに頭を隠すことのほうが」（『土星の徴しの下に』）

今日のみ見てや雲隠りなむ

北海が近いので、上空をいつもドラゴンが飛び去って行くような風が吹いている。風は龍に従うそうだが、雲は誰に従うのだろう。

右は、「雲を眺めていると嫌でもいろいろなことを思い出す。日記には今、目の前に見えているものだけを書いておきたいと思うのに、過去がずるずると雲蔓(くもづる)式に引きずり出されてきて、自分でもそれをとめることができない」とプロローグ部分で語られる多和田葉子の『雲をつかむ話』の二章にあたる一節から引いたものである。

出典を思い出せないが、かつて萩原朔太郎は日本古典を念頭に置いて、エッセイの形をとった詩すなわちエッセイ詩というような言揚げをした（自らも、散文詩ふうの小説『猫町』を書いた）ことがある。多和田葉子の長篇『雲をつかむ話』を、『百年の散歩』同様、小説詩として読みはじめた当方の眼前に、さっそく次のような暗示的一節がとびこんできた。

「本棚と本棚の合間にするりと身をさしいれ、奥へ奥へと入っていって、やわらかい光に抱かれて眼を細め、びっしり並んだ本たちの背中を視線でさっと撫でる。すると、向こうからしきりと語りかけてくるタイトルがある。抜き出して、読書用の机に持って行ってむさぼるように拾い読みする。ゼミで必要な本を捜して読む前にわたしは必ずこういう方法で自分と関係のない本を読むことにしていた。不思議なことに、どんなに関係のない本を抜き出して読んでも、必ず後から『関係』が追いかけてきた。お神籤(みくじ)を引くのとどこか似ている。どの籤を引いても、どこか当たっている。お神籤のテキストは多分そういう風に書かれているのだろうし、本というものもそういう風に書かれているのだろう」

人並みに本好きといえる当方も大いに納得させられるが、しかし本の背中を見て誰でも「向こうからしきりと語りかけてくるタイトルがある」と感じ、ついには「どんなに関係のない本を抜き出して読んでも、必ず後から『関係』が追いかけてきた」といいきれるかとなると話は別である。

神社でオミクジを売っている人とは「関係」がうすい一種ドラゴンめいた風に感応するスペシャルな巫女が「わたし」にとり憑いている。それは小説のあらすじなるものを吹きとばしてしまうすぐれて詩［史・私］的な風である。S・ソンタグがベンヤミン頌で――「過去は死んでいるからこそ読むことができる。歴史が具体的なものの中に呪物化されているからこそ、それを理解することができる。それがひとつの世界であるからこそ、本の中に入りうるのだ。彼にとって本とは、さまようことのできるもうひとつの空間であった」と述べたその「彼」を「彼女」と置きかえて読むことができる一節である。

ベンヤミンがプルーストにみてとった事物に〈類似〉を見出す秀でた能力を、『雲をつかむ話』の話者も保有していると思われる。今、思い出したが、プルーストはたしか――本を読んでいる時、あなたはじつは自分自身を読んでいるのだ、という意味のことを作品の中に記したはずである。

冒頭に掲げた引用文の「風は龍に従う」という表現も、『易経』に源をもつ――「同じ明りはたがいに照らしあい、同じたぐいはたがいに求めあうこと、雲の龍に従い風の虎に従うごとく、聖人が現われてこそ幾多の人材もあらわれる」旨をのべた『史記』の「伯夷列伝第一」に登場する。話者が、『易経』と有縁の占卜のオミクジをたとえに用いているのは興味深い。「わたし」は、「風は龍に従うそうだが、雲は誰に従うのだろう」と書いた。小説的地平に吹き流れる雲に読者の関心をもたせるために、おそらく故意に疑問形にとどめたのであろう。「歴史が具体的なものの中に呪物化されている」ことを最もはやい時期に洞察しえた太史公は、この記念すべき列伝のハジマリの章で、高名なため息を洩らす。

人間の運命について、また死後に残る名について見解を吐露した一節に、立派な行いをして餓死に至った二人の人物を紹介した後、どうも納得できない、かれらのことを考えると、「天道が公平かどうか疑わざるをえない」と書いたのだ。天の働きを人格的にとらえ、天道は世界の秩序を司ると考えられていた時代に、太史公は、「天道、是か非か（お天道さまは正しいのだろうか）」という根源的疑問を投げかけた。生涯を賭して発せられたこの問いは、後世に向けて残されたものでもある。現在のわれわれにも「しきりと語りかけてくる」それは、「どんなに関係のない」地平にわれわれが隠れていようと、「必ず後から」追いかけてくる「関係」性を孕む問いである。

多和田葉子が小説詩あるいは特異な私・史小説のカタチで「雲蔓式」に語る話の根底にもこの「関係」性の風が流れているのだけれど、〈天道、是か非か〉を問う男流が陥りやすい悲憤慷慨のタッチをしりぞけ、あくまでメランコリーの本義である「哀しみ、まじめな省察、空想」をふまえた根源的ユーモアを手放さずに、ドラゴンに従う風に身心をさらす点に目をこらす必要があるだろう。

まずはわれわれも易経的なコウインシデンスを大切にしながら、〈雲蔓式〉に、文学史をざっとさかのぼってみよう。といっても、われわれの求めるのは、アガンベンのいう「アカデミックな演習以上のもの」であるから、学術的に系統立つ文学史の一端ではなく、たとえば二十三歳の北村透谷が「文学史の第一着は出たり」なる短文でいうような視座に立つものだ。太史公の如き口吻で、若き透谷は「要するに歴史の最純なる者は、是を文学史に求め得べし、而して文学史を編む者は、此の大活眼あるにあらずんば能はず」と書き、真の「観察力」をもって文学史の「内部に入るべし」と説いた。この「内部」は、透谷のキーワード「内部生命」とつながるものと思われるが、そこに踏み込むのはさしひかえ、死の前年に書かれた瞠目すべき「人生に相渉るとは何の謂ぞ」で描かれる「空の空の空を撃って、星にまで達する」文学史の縮図を思い出すにとどめる。「大活眼」によって西行を一瞥し、またその西行を敬慕した芭蕉の一句〈名月や池をめぐりてよもすがら〉における池の「睨み」方＝「視る仕方」を説く透谷の文は、この国でおそらくはじめて女性性のテーマと出逢いを果したことを暗示する一文「厭世詩家と女性」などと並んで熟読玩味に値するものだ。

いつの時代にも実用文学論はマジョリティの支持を得て、優勢を誇る。「想世界」への籠城戦をもってこれに対峙する透谷は、内なる荒野に佇み、「漠々たる大空は思想の広ろき歴史の紙に似たり」（「一夕観」）と記し、「空の空の空を撃って、星にまで達する」文学（史）にその名を刻んだ。

「讃むべきかな会津武士……深く人間を学ぶに堪へたり」（「客居偶録」）のつぶやきからもわかるこの厭世詩家の「笑われ側」の存在へのシンパシーは真正のものである。日韓併合の年の秋に〈地図の上朝鮮国にくろぐろと墨をぬりつゝ秋風を聴く〉と詠んだ石川啄木同様の、強権によって黒くぬりつぶされた領域を透視する「大活眼」の持主たちが生き延びて、「空の空の空を撃って、星にまで達する」営みを持続してほしかったと願うのは当方だけではあるまい。

「厭世詩家」たちが一様に芭蕉を、そして芭蕉が憧憬してやまぬ西行的境涯へ思いを馳せたことは容易に理解しうるとして、その隠棲志向が、もっぱら男流がアルジとなって〈サカナをする〉文学史において望まざる隠され方をしつづけた女性性のポエジーへの一種の罪ホロボシのような性質をもつのではないか、という奇異なる思いに包まれることが当方にはある。

奇妙ついでに言うと、透谷が愛唱した〈名月や……〉の一句を口にするたび、当方はどうしてか、万葉の中でも比較的よく知られている〈ももづたふ磐余(いわれ)の池に鳴く鴨を今日のみ見てや雲隠りなむ〉を連想する。

高校の教科書で出逢い、〈ももづたふ磐余の池〉の意味がよくわからなかったにもかかわらず、すぐにそらんじることができて以来、反復ソングの一つとなったこの歌をいつもオミクジを引くような心持ちで舌頭に千転させて久しい。磐余の池は現在伝わらないが、当時奈良県桜井近傍に実在した池だという。大津皇子の家の前にあったその池の堤で「涕(なみだ)を流して作りませる歌」と題詞にある。「ももづたふ（百伝）」は百に数え伝える意で「磐余」の「い（五十）」にかかる枕詞だとされる。

雲隠る、は貴人の死の敬避表現なので、これは大津皇子自身ではなく周辺の人の作が皇子の辞世の歌として伝承されたものというのが大方の説で、たぶんそうなのであろう。しかし皇子が文武両道に秀でた人物であることは万葉に収められた歌四首や現存最古の漢詩集『懐風藻』の評伝と詩四編からもわかる。

『日本書紀』によれば詩賦はこの皇子から興ったという。詩賦とは中国の韻文のことで、万葉・古今以下の和歌文学の黄金時代も、あっという間に「詩」（いわゆる漢詩）謳歌時代にとってかわるほど、官人を中心とする知識階級のステータスシンボルともいうべきジャンルであった。外国（唐・朝鮮半島・渤海）という「外」との文学交流にも必須とされた漢風（中国風）は、その後も近代の夜明けまで吹きつづけた。それがどれほど強いものであったかは、最初の近代詩人の一人透谷の文章の漢語調からも窺える。

この漢風は、すこぶる男流的なものである。「詩」という外来文学の形態をやむなく借用することで日本語文学のポエジーは早くから、漢字漢文を手カセ・足カセあるいはヨロイカブトのように身心にまとう方途を模索する他なかった。

そうした手カセ・足カセあるいはヨロイカブトの類を脱ぎ捨てて、歌われたのが先の〈ももづたふ……〉の一首であるように当方には思える。磐余の池のイワレが不明なまま、この池に思いを馳せるうち、当方のオミクジ読みは、透谷が愛誦した芭蕉の一句の、名月を写す池を重ねるに至った。

池をめぐりて夜もすがら、という振舞いがはたして透谷が解釈したようなイワレをもつものかどうか芭蕉にきいてみなければわからないが、そのアクションの根底にあるのは、太史公的「鬱結」だろう。不得通其道（それを洩らすことができないので）という言い廻しを口遊めば、『万葉集』の山上憶良の文のカケラ――「五蔵の鬱結を写（のぞ）かむと欲（おも）ふ」も思い出される。「五蔵」のムスボホリとは体内の鬱積の意で、詩歌は人間の心のわだかまり＝鬱情を除く具であるという認識を示す日本での早い時期の語句だそうだ。憶良の「鬱結」が太史公の言葉をじかにふまえたものかどうか、今たしかめるのはあきらめ、かわりにというのも奇妙だが、男流的詩賦にも通じていたと推測される上代日本語文学ポエジーの総決算をなしとげた女房文学の旗手、紫式部の物語文芸論の切れはしに眼を転じる。『源氏物語』螢の巻で、作者は光源氏に、「あな、むつかし。女こそ、ものうるさがらず、人に欺かれむと、生れたるものなれ」と笑いながら言わせる。いやはや、うっとうしいね。女はうるさがりもせず書き写したり、空ごとと知りながら熱心に読んだりして、人にだまされるために生まれてきたようなものなんだね。「まことは、いと少なからむを」＝事実はごくわずかだろうに、「かつ知る〳〵、かゝるすゞろ事に心を移し、はかられ給ひて」＝空ごとと知りながら、こんなでたらめな話に夢中になり、だまされて……この蒸し暑い五月雨どきに髪の乱れもかまわずに、書き写しているとは、云々。

しかしこの後、光は思い直して「無粋にも、物語をけなしてしまったね」と語り、近代文学時代にあっても遜色がない文芸論をさりげなく展開する。「神世より世にある事を、記し置ける」物語に比し、日本紀（＝日本書紀）などの歴史書は、「たゞ、片そばぞかし」（いかにもほんの一部分にすぎない）と。物語にこそ「道〳〵しく、くはしき事はあらめ」（真実を求める生き方がていねいに書かれてあると思う）。光にこういわせた紫式部は、男流的「鬱結」を根底から裏返す日本語文学の本流に位置するポエジーの体現者たりえた。

女房文学の担い手たちにとって、読むことが書き写すことだったという事実は、書き写すことを歩くことにたとえたベンヤミンの教えを導きとするわれわれの列伝にとって決定的に重要な何かである。

「鬱結を写かむ」という憶良の一文をあらためて注視すると、ムスボホリを「除く」ことを「写」なる一語で表記しているところが気にかかる。一体、物語は、たとえ実在する人のことだからといって、事実の通りに書くものではないけれど、良い事であれ悪い事であれ、この世に生きる人間の姿について、見ても聞いてもそれきりにしておけないような感興の深い話で、「後の世にもいひ伝へまほしきふしぐ〵を、心にこめがたくて、言ひおきはじめたるなり」（後世にも語り伝えさせたい事柄を、自分の心にしまいこんでおけなくて、語り出し始めたものだ）とつづく光の話を、名月を夜もすがらみつめるふうのマナザシで読みかえすうち、特に、「心にこめがたくて」という一語が、本光る竹のふしのように浮き上る。

多和田葉子の『雲をつかむ話』からだいぶそれてしまった印象があるかもしれないが、雲をつかむような語り方を真似ているとでもいいひらきして、オミクジをつなぐふうのシリメツレツ伝序説の書き収めに向わねばならない。

人みな意(こころ)、鬱結するところありて、その道を通ずるを得ず、故に往時を述べて、来者を思うなり。古来、「鬱結」を抱えた優れた男流の多くが心身に刻んだこの一行の傍に、「後の世にもいひ伝へまほしきふし〴〵を、心にこめがたくて、言ひおきはじめたるなり」という日本語ポエジーの本流に位置する女筆による宣言を再度並べ、雲のつかみ方をめぐる微妙な差異に思いを馳せる。その差異を池に映る名月のように夜もすがら見定めて、われわれの列伝序説も雲隠れしたいと思う。

「すずろ事」（空ごと）に心を移すことを愛惜した輝ける女筆たちは、その後の文学史において、『源氏物語』中のタイトルのみあって中身がない巻「雲隠れ」よろしく、男流の陰に隠されてしまったのだけれど、われわれとしては、その偉業をたとえば〈百伝ふ〉なる枕詞をかぶせることで顕彰したい心持である。枕詞は後世に至って形骸化してしまったが、本源の地平ではそうではなかったはずだ。『万葉集』のどこやらに出る言葉をかりれば「逆言（およづれ）の狂言（たはごと）」（でたらめの狂気の言）めくが、たとえばまた〈八雲立つ〉なども引き寄せ、ムクロと化した言の葉の器に、デタラメな言霊を吹き入れてわれわれ好みのオミクジテキストを創りサカナをしたい。『百年の散歩』の話者が、「それぞれが孤独に大陸を歩いて横切って、やっとベルリンに到着したように見える」という〝夢うつつのでたらめ〟の妄想を仮託した樹木考には、「そぞろ神にそそのかされて、ついベルリンまで」とも記されていた。この「そぞろ神」こそは、百伝う言の葉に宿る言霊の宰領者であり、紫式部が光源氏にいわせた「すずろ事」と有縁の存在である。

〈八雲立つ〉の「雲」は霊魂や生命力が生起する象徴であり、クニの生命力が盛んに生起する意味として「出雲」に冠される、と辞書に記されているが、だとすれば、霊魂や生命力が生起するすべての事物にかかわる詞と拡大できないことはない。

〈八雲立つ出雲八重垣妻ごみに八重垣作るその八重垣を〉――『古事記』において三十一文字の和歌の初めとされるこの歌に基づき、「八雲」だけで和歌または歌道を指すという。すでに詩賦のはじまりを大津皇子のそれとする『日本書紀』の記述にふれたが、日本語ポエジーの起源に立ちのぼる雲の正体をつかむために、百伝う後世に出現した俳聖の高名な書『おくのほそ道』のハジマリに顔を出す「古人も多く旅に死せるあり。予も、いづれの年よりか、片雲の風に誘はれて、漂泊の思ひやまず……」を口遊む。俳聖もまた、日本神話で高天原を追放されて出雲に降ったスサノヲ同様、「片雲の風に誘はれて」八雲立つ土地を次々と漂泊したのだったが、その種々の紀行文に「風雲の情」とか「風雲の便り」という言葉が顔を出している。

多和田葉子の近作長篇『地球にちりばめられて』には、当方が最も強く感情移入したSusanooなる人物が、海の彼方で鮨職人となって登場する。日本神話を裏返すモチーフを託された人物であるが、紫式部が「たゞ、片そばぞかし」なる鮮やかな一語で批判した正史に歪められたものではなく、日本各地の民間伝承におけるスサノヲは、農業神の他に、風の神としても信仰される。

この章の冒頭にもどれるかどうか雲行きが怪しくなってきたけれど、われわれとしては「上空をいつもドラゴンが飛び去って行くような風が吹いている」オミクジテキストを編みえた実感があればいいとしよう。

海の彼方に流れ着いたＳｕｓａｎｏｏがどんな物語を生きるのかについて何も語らぬまま、〈八雲立つ〉原型的イメージを西欧にさがせば、まっ先に浮かぶのが旧約聖書『出エジプト記』の一節である。岩波文庫版（関根正雄訳）から、その最終部を引く。

「雲が会見の天幕を蔽い、ヤハウェの栄光が住居を満たした。モーセは会見の天幕に入ることが出来なかった。雲がその上にたれこめ、ヤハウェの栄光が住居を満たしていたからである。雲が住居の上から立ち上る時にはイスラエルの子らは旅立つのであった。その旅路の間中そうであった。雲が立ち上らないときは、そうなる日まで旅立たなかった。まことにその旅路の間中イスラエルの全家の眼前に、昼はヤハウェの雲が、夜は火がその住居の上にあった」

旧約の神の恵みの指標としての雲の柱と火の柱は、西欧において最も著名なものであろう。「犯人と出遭った胸躍る話はみんなに話してきかせたくなる」という刺激的な物語内容をもつ多和田の『雲をつかむ話』にも、荒野の道へ人々を導く神のエピソードが影を落している。これは歌集『悲しき玩具』補遺にある啄木の〈見ずや君そらを流れしうるはしの雲のゆくへの理想のみ国〉なる歌と気脈を通じるものとわれわれは見る。啄木に少し遅れて宮沢賢治が童話「蛙のゴム靴」に記した「ペネタ形」のモチーフもこれに連なる。「日本人」でいえば花見のように「雲見」をするという蛙たちの会話をめぐる一節はこうだ。

〈「どうも実に立派だね。だんだんペネタ形になるね」

「うん。うすい金色だね。永遠の生命を思はせるね」

「実に僕たちの理想だね」

雲のみねはだんだんペネタ形になって参りました。ペネタ形といふのは、蛙どもでは大へん高尚なものになってゐます。平たいことなのです〉

当方が若年時に購った古い賢治全集の語註には――英語の peneplane（準平原）からの連想か、とある。平らである意の「高尚なもの」が、どこやらで『出エジプト記』ふうの「理想のみ国」とつながりをもつのではないかという気がする。この「準平原」をも、雲隠れ志願者の当方は愚かしくも〈天河平原〉として受取り直し、悦に入っていたことがあるのだった。

モーセを教導した神のシンボルとしての雲をこの手でたしかにつかみたい願望にとり憑かれた多和田葉子の話者も、太史公的独言――「天道、是か非か」をつぶやくに至った。岸壁の独房に何年も閉じ込められ、波と風と樹木としか話をすることができなかったという中国の詩人について、話者は次のように書いている。

〈「雲とは話さなかったんですか」とわたしが思いつきで言うと、その「雲」が青年と奥さんの口を通って詩人の耳に達し、詩人は子供のような顔になって笑って、しきりと頷いた。話したよ、話したとも〉（『雲をつかむ話』6）

Ⅲ　ブック・レヴュー篇

あやしのアルキミコ——『ゴットハルト鉄道』

はじめて多和田葉子の作品に接したのは、日本におけるデビュー作「かかとを失くして」（群像新人文学賞受賞作、一九九一年）であったが、以来十数年、私はこの作家を妹よばわりしてきた。当方の個人的な感情に基づく呼称としておいてもよいのだけれど、むろんそれでは事態を矮小化することになろう。

できる限り普遍的に語らねばなるまいと自らにいいきかせて、遠い昔に読んだ——遠い昔に書かれた柳田国男の『妹の力』を引き寄せてみる。日本における口承文学の伝播者としての巫女の存在に注目したこの著書は一九四〇（昭和十五）年に刊行された。表題作の「妹の力」が発表されたのはさらに古く、一九二五（大正十四）年のことである。

私は民俗学の最前線の動向に疎い。シャーマニズム研究史の中で柳田の仕事が現在どういう位置づけになっているのか与り知らないのだけれど、今般読み返してみて、その文章の比類のない香気にあらためてうたれた。かりに、ここに書かれた事がらが学問的には修正を余儀なくされているとしても、文体の魅力は恒久の次元に輝くものである。小林秀雄の口真似をして、「柳田さんには沢山の弟子があり、その学問の実証的方法は受継いだであろうが、このような柳田さんが持って生れた感受性を受継ぐわけには参らなかったであろう。それなら、柳田さんの学問には、柳田さんの死とともに死ななければならぬものがあったに違いない。そういう事を、私はしかと感じ取ったのです」（「信ずることと知ること」）と、当方もつぶやく他なかった。

感受性という言葉はいささか気恥かしいが、小林秀雄がこの月並語を通していわんとすることは容易に伝わる。小林を感動させた柳田の感受性をめぐるエピソードは、一見とるに足らぬほどささやかなものだ。『故郷七十年』で語られた柳田国男の十四歳の時の思い出。少年はその頃、長兄の家に預けられていた。家の隣に旧家があり、病弱だった少年は毎日そこへ行き本ばかり読んでいた。旧家の土蔵の前の庭に石作りの小さな祠があった。祠には死んだお祖母さんを祀ってあるという。少年はその中が見たくて仕様がなくなり、ある日、思いきって石の扉を開けてみると、一握りくらいの大きさの蠟石が納まっていた。美しい珠を見たその時、何ともいえない妙な気持になって、どうしてそうしたのかわからないが、しゃがんだままよく晴れた空を見上げた。すると、澄み切った春の空に数十の星を見たのである。昼間星が見えるはずがないと子供心にいろいろ考えていたが、奇妙な興奮はとれない。その時、高空でヒヨドリがピーッと鳴いて通った。少年は、はじめて人心地がついた。回想する柳田は言う——あの時にヒヨドリが鳴かなかったら、私はあのまま気が変になっていたんじゃないかと思う、と。

日本民俗学の先駆者は、生涯にわたり日々旅にして、旅を栖（すみか）とする文人であった。旅をする民俗学者は珍しくもない。だが、真昼の春の空に星の輝くのを見る物狂いの童（わらべ）を内に秘めた旅人は希有である。

妹の力とは何か。柳田の著書に寄り添って詳述するわけにはいかないので、シャーマンよろしくその切れ切れの言葉をつないでおく。

> ……縁側に出て髪を梳くと、散った毛が風に飛んで鳥の巣に作り込まれる。そうするとその女は気がちがうなどと、物狂いになることを結果としたいろいろの戒めがあるのも、神の御告（おつげ）を伝える者の必ず物狂いであったことを考えると、これも最初はまた巫道（ふどう）に入る方式の一つで、求めてそうした者がかつてはあったことを、暗示するところの大切な資料なのかも知れない。……女には目に見えぬ精霊の力があって……祭祀・祈禱の宗教上の行為は、もと肝要なる部分がことごとく婦人の管轄であった……巫（みこ）はこの民族にあっては原則として女性であった……以前は家々の婦女は必ず神に仕え、ただその中の最もさかしき者が、最も優れたる巫女であったものらしい。……

柳田国男は日本語文芸（特にフォークロア）の底流に潜む女性の役割——巫女としての妹の力を明らかにせんとしてこのように語っているのだが、学問的な証拠といえるものに言及することは少ない。小林秀雄の文章にみられる〈なぜなら、僕はほとんどそれを信じているから〉と似た調子が柳田の文体にはある。

女は常に重んぜられた。男中心社会はじつは、女子の予言に指導を求めることが多かった。女の力を忌み怖れたのも、本来はまったく女の力を信じた結果であった。ある種のまじないには女を頼まねばならなかった。神と交通した女の話は数多い。その不可思議には「数千年の根柢がある」……と、柳田は妹の力と命名したものについて論拠、典拠をあげることなく巫のように語る。

旧家のお祖母さんが生前しょっちゅう撫でまわしていた珠＝蠟石に彼女の霊を感知する物狂いの童が柳田にそういう語り方をうながしているふうだ。柳田国男の文章には、〝妹の力を感得する力〟がみなぎっている。

多和田葉子の作品世界に入る前置きとしては長すぎたようだけれど、『ゴットハルト鉄道』に収められた三篇を味読するために有用なキーワードとして、日本語文芸の「数千年の根柢」をなす妹の力を有する〝物狂いの少女〟の原像に思いを馳せておくのは決して的外れではないと私は信じている。

……少し目が闇に慣れてきた。トンネルの内壁に床の間のような祠のような空間がぽっかり開いている。薄明りに照らされて、中には小さなマリア様の像が立っている。そんなはずはない。マリア様など立っていない。そう思った時、列車はスピードを落とし始め、やがて憂鬱なブランコのように動きを止めた。……

（「ゴットハルト鉄道」）

スイスに実在するとおぼしき鉄道にのって、トンネルの闇を通る「わたし」の眼に映った幻想ともいえる一瞬の光景。注意しなければ読みすごしてしまいそうなささやかな一節だが、十四歳の柳田少年の原体験に通底する何かがここにはりついている。「そんなはずはない」とは、文脈からするとマリア像の存在を否定しているように見えるが、スイスの鉄道の「トンネルの内壁に床の間のような祠のような空間」があることそのものをも指していると受取りたくなる。祠の中の——霊を放つ珠を見た直後の柳田少年が、白昼の青空に星が見えるはずがないと知りつつ茫然としていたのと似たトランス状態が「わたし」をつつむ。半醒半睡のこの入眠状態は、多和田葉子のほとんどの作品におなじみのものである。

私は故意に、国際的なスケールで日々旅にして、旅を栖とする作家を、民俗学的圏域に閉じ込めるふうのやり方でこの稿を書きはじめた。デビュー作にふれたエッセイの中で、多和田葉子は「かかとのない文学とは、自分の関わっている伝統を無視して自由に放浪する文学のことではない」と書いているが、私はこの言葉を特に重くうけとめる者だ。

「ゴットハルト鉄道」の話者の「わたし」はいう——「国を生むことのできる子宮は存在しない。島を生むことのできる子宮がないのと同じです」「まわりから孤立して、自分をこっそりと世界の中心に据えた島の自己欺瞞」。父兄本位社会が生み出した神話に対するこうした妹の批評に身をさらしたうえで、さらに次のような「わたし」のつぶやきを耳におさめる——「でも、閉じ込められていたいの。それが一番幸せ。ホテルの一室でもいい。列車のコンパートメントでもいい。トンネルの中でもいい。閉じ込められていたいの」。

たとえ日本的な、あまりに日本的な民俗学的関心のナワにぎりぎりまきにされ狭苦しいところに閉じ込められても、「わたし」は平気であるに違いない。男流的＝兄的島国根性には批判の刃を向けるが、「袋小路」とか「洞穴」という言葉に「わたし」は美しさを感じる。ゴットハルト鉄道に乗ったのも、その袋小路・洞穴ふうの「お腹に潜り込んで、しばらくそこで暮らしてみたい」と思ったからだ。

片雲の風に誘われて漂泊の思いやまぬ女をトリコにする〝閉じ込められ〟願望を、どう理解したらいいのか。私は、おびただしい数の日本的袋小路・洞穴から成る柳田国男の著作群の「お腹に潜り込んで、しばらくそこで暮らしてみたい」と念じたことがこれまで幾度もあるが、多和田文学のキャラクターたちを形容するにふさわしい言葉を今次もうひとつ見つけた。柳田の『先祖の話』という著作の中にこんな言葉があったのだ——あやしの歩行巫女(あるきみこ)。

はじめは神社に従属していたミコがやがて移動漂泊する宗教業者となったものがアルキミコである。彼女らは、家の神を人に憑かしめて神の口を寄せたり、異界にいる霊をなんとか招き寄せて語らせるいわゆる口寄せの能力をもっていた。アルキミコが、物狂いの妹と有縁なのはことわるまでもないだろう。

柳田国男は『女性と民間伝承』の中で、「隅田川」に代表される狂女ものの謡曲にふれ、物狂いの舞に言及する。「くるふ」とは元来舞うことであった、と。物狂いは一種の職業であった。わが身を空家にして、神や精霊に宿を貸す者が、昔はいくらもいて同時に歌舞の道に携わってもいた。それが自分の方から進んで借り手を探し求める場合を、謡曲などでは特に物狂いと名づけていた。狂い咲きとは、美しく又面白く、乱れて舞っている花のことをいうが、能ではこうして舞っているうちに、必ず今まで久しい間、見ることを得なかったものを、不思議に見出すことになっていて……。

『ゴットハルト鉄道』所収の三篇のあざやかな解説たりうると思われる箇所を、私は柳田国男の著作から我田引水している。多和田作品にこと寄せていえば、それは〝かかとを失くした〟引用の仕方である。

本書の三篇は、能的な狂女ものという共通項でつながっているとみなしていいだろう。「ゴットハルト鉄道」の「わたし」には「職業がない」と記される。「無精卵」の主人公についても「仕事らしい仕事もしていない女」とある。「隅田川の皺男」のマユコは黙って会社をやめてしまう。「わたし」と女とマユコのほんとうの職業は、物狂いなのではないかといいたくなる。彼女たちは「わが身を空家にして、神や精霊に宿を貸す者」に限りなく近いのである。

物狂いのモノとは、「数千年の根柢がある」日本語において、精霊を、そして言葉そのものをも意味する。「ゴットハルト鉄道」には「わたしの生活は、言葉でできている。……言葉でできていないものが、この世の中にあるのかどうか」という妹＝巫女のつぶやきがある。「無精卵」の女は、物狂いの少女の助けをかりるような形でいわば「狂い咲き」し、「他人の字を書いていく時にしか感じられない背筋の熱くなるような喜び」を味わっている。女は書くことに従事するが、「それは日記でも手紙でもない。詩や物語を書きたいと思ったことはない。ただ文章を退屈せずに続けて書きつらねていきたいと思った。書いているという状態をずっと続けること。それだけが、目的だった」。メディア＝巫女たらんとする女は「誰か自分以外の人間が考えたことを筆記している感覚。それを自分に口述している……」というような振舞を、「修行みたいなものなんだろうか」と思う。女の振舞は、文字通り「くるふ」に重なる舞である。

女に対して、詩を書いているという従弟は、「僕は最近、医者にかかってね。気が沈んでしかたない。何を読んでも面白くない。ものを書く元気なんかまったくない。でも君が書いているものは見てみたいね」と言う。

同じ屋根の下で暮らしていた男も、「僕はそれほど仕事はしてない。ただ、期待を裏切るようなことはできないから、あせりが先に立って」と言う。

〈何を期待されているの〉

〈偉大な仕事を仕上げることさ〉
〈どんな仕事〉
男は黙ってうつむいてしまった。

（「無精卵」）

このやりとりの直前には「女が書けば書くほど、男はだんだん身体が弱っていくように見えた」ともある。従弟や男の姿に、日本語文学の表層を主導してきた〝男流〟の末路を見る思いがするのは私だけだろうか。

〈僕は人の期待を裏切っている〉〈人の期待なんて忘れて、自分の仕事をしていればいいのよ〉〈君はいいよ。上役もいないし、部下もいない〉〈あたりまえでしょう。会社に勤めているわけではないんだから〉〈僕は君を自分の部下ではないけれど、せめて弟子にしたかった。そのくらい、偉大な人物になりたかったよ〉〈偉大な人なんてつまらないわ。どうして、あたしが弟子にならないといけないの〉

偉大さの圧力にうちひしがれる兄的男流が妹の力にとりすがる極めつきの場面といっていいだろう。

妹の力を負託された彼女たちは、ひとしく〝奥ゆかしき〟女たちである。それはもちろん、男流的視点にたった形容ではなく、やはり「数千年の根柢がある」日本語の原義「奥行かし＝奥へ行きたい」に基づくものだ。奥行かし（知りたい。見たい。聞きたい）と願う妹たちは、あやしのアルキミコとなって漂泊し、越境する。妹がたどる奥の細道はこんなふうだ——「町の表面をすべっていくのではなく、街の細い道を細い方へ細い方へと歩いていきたい。道そのものが、皮膚の暖かさを漂わせてくるまで細い道に入り込んでいきたい。その皮膚は乾いていて皺が多いが、だからこそ、その暖かさには押しつけがましいところがない」(「隅田川の皺男」)。

アルキミコたちは男流的押しつけがましさを軽くいなしながら、奥を幻視する。閉じ込められた奥ではどんなあやしの幻術がおこなわれるのか。それは決して「偉大なもの」ではなく、たとえば本書に何度か使われている言葉をかりて簡単にいうなら「壁」を、皮膚の暖かさをもつ皺のイメージにも重なる「襞」に変異させるような術だ。

ゴットハルト鉄道の「トンネルの内壁に床の間のような祠のような空間」を幻視する「わたし」。「汗ばんで少し塩辛い幼女の肌が残っているような」少女を前に「その肌さえ発掘できれば」と思う「無精卵」の女。永井荷風の「すみだ川」や川端康成の「隅田川」といった作品にみられる男流的な思い入れをユーモアをもって裏返し、謡曲「隅田川」をも反転させ「土地の皺の中から現れた霊」に相見えんとする「隅田川の皺男」のマユコ。彼女たちに宿る妹の力はこうささやくふうだ——「石の呪術を使って、消えた足跡を呼びもどさなければならない」(「ゴットハルト鉄道」)。

さいごに、日本的袋小路・洞穴に閉じ込められた視点を少しずらしてみたいと思う。ゴットハルトという土地について私はほとんど何も知るところがないが、遠い記憶をさぐると、H・

クライストの超短篇「ロカルノの女乞食」がよみがえってくる。それはこんな書き出しだ——「アルプスの山麓、高地イタリアのロカルノ近傍に、さる侯爵の所属になる古城があった。ザンクト・ゴットハルト方面からくると、いまは荒れ果てて残骸をさらしている姿が見える。……」（種村季弘訳）。

城に宿を借りていた女乞食をないがしろにして死に至らしめた勢威ある男流の権化ともいうべき侯爵の家が女乞食の霊にたたられ、ついには破滅するというこの物語のことなど本書には登場しない。「ゴットハルト鉄道」に揶揄的に言及されるのは、押しつけがましい物語の元祖としてのゲーテやシラーであり、この二人の輝かしい光の陰にかくれて不遇の生涯を送り、ついにはピストル自殺した冥い人クライストの名はどこにも出てこない。

しかし私の眼には、ロカルノの女乞食の原像が日本的物狂いの妹＝少女や謡曲の狂女のそれと同じ比重で本書にとり憑いているように思える。国際的アルキミコが呪術によって呼びもどしたいと願うものの一つには、いやしめられおとしめられた女乞食の足跡に似た何かが含まれるに違いない。

闇あがってくるもの――『ふたくちおとこ』

多和田葉子の『ふたくちおとこ』を手に取ったのは、今つんのめっている仕事の関係で、①『ティル・オイレンシュピーゲルの愉快ないたずら』(阿部謹也訳、岩波文庫)、②阿部謹也著『ハーメルンの笛吹き男――伝説とその世界』(ちくま文庫)、③上山安敏著『魔女とキリスト教――ヨーロッパ学再考』(講談社学術文庫)の三冊をつづけて読み終えた直後だった。つまり私個人の興味関心と『ふたくちおとこ』とは一種の〝呼応一致〟をとげたというわけである。当方が取り憑かれているテーマの内容はさておき、たぶんにひとりよがりのこうした関心圏の共振現象は、孤独な読書のいとなみにあって意外に重要なものではないかと思う。ドイツ語にいうzusammenfallen(同時に起こる、一致する、同じである)現象が実感できれば、「何」が書かれているかなど後景に退いてしまうこともありうる。

本書は「ふたくちおとこ」「かげおとこ」「ふえふきおとこ」の三篇から成る。これらの「お話」が下敷きにしているドイツの伝説を、仮にまったく知らずとも愉しく読み了せられるのはいうまでもないけれど、作者が日本語とドイツ語の両方で創作する何やら魔女的な〝ふたくちおんな〟だと知ったとたん、〝ひとくち〟ではとうていいいあらわせぬ関心のトリコになってしまう。

表題作「ふたくちおとこ」は、冒頭にあげた①で有名ないたずら者ティル・オイレンシュピーゲルにまつわる物語だ。①を通読して印象に残るのは、いたずらの内容よりも、全体的にスカトロジーの雰囲気が濃い点である。作者もそこに着目したあげく、口と肛門のふたつの口でしゃべるティルを創りだしたと思われる。先頃日本でも上演された日本語とドイツ語混用の実験的な芝居『ティル』の小説版でもあり、脚本自体は、ドイツにおける作者の十一冊目の作品集（一九九八年）に収められている。

二番目の「かげおとこ」については背景の伝説が今ひとつよくわからないけれど、文献②には、ドイツ中世において被差別民扱いだった笛吹き男＝遍歴楽士は自分に損害を加えた人間の、地面に映った「影に報復すること」しか許されていなかった……などとある。

もちろんこのような歴史的事実が、二番目の「かげおとこ」を読むうえで直接の関わりがあるといいたいのではない。笛吹き男もティルも遍歴者として、時代のあらゆる階層社会からひとしなみの「距離」を保ちながら生きたキャラクターだが、言葉の遍歴者たる詩人・作家＝ディヒターもまた、あらゆる人間から創造的な影をひき出し、これに聖なる「報復」を加えんと熱中する人種だといっていいだろう。

さいごの一篇「ふえふきおとこ」に、そうした言葉によって〝影を血まつりにあげる〟祝祭劇を容易にみてとることができる。文献②には、ハーメルンの笛吹き男伝説がどうして生れたのか、十三世紀ドイツの小さな町で起こったひとつの事件の謎が語られている。ディヒターはかかる事件の渦をひき寄せ、現代的に改変させたのち、言葉の旋回運動に従事する。噂話のありようを逆用した多声的な語りが採用されているのだが、これを盛るマンダラ空間が日本語のひらがな五十音であるのは興味深い。

三篇のタイトルも、また章立ての数字も、おそらく故意に漢字を避け、平安時代の賢い女房たちが居丈高な漢字をきり崩して創出したひらがなになっている。私が文献③をあげておいたのもこのことに関わる。

「影は生き物ではない。時々、影が踊り出して生き物になることもある。その時、影は怪物となって、怪物に剣を差し向けるはずの騎士が必要となる」(「ふたくちおとこ」)

仮名はその字の通り、真名(真の文字)と呼ばれた漢字に取り憑く幽霊のような仮そめの文字だった。それは漢字の影として産声をあげ、影として寄り添いつづけた長い歴史をもつ。

こうした仮名的存在の叛乱と報復をめぐるドラマが祝祭空間化したのが本書だといえばあまりに図式的になるが、「しかし、ここでもティルの上手を行く者たちが、やはりいるのだった。三人の女たちは、影のようにティルについてまわる」という「ふたくちおとこ」の一節は、「ここ」が具体的にどんな場所か不問に付したままでも「やはり」暗示的なのである。

三篇が扱う「男」の背後には、「魔女の入江」と名づけられた謎の場所——それは〝ふたくちおんな〟が操作するワープロであったりもする——に佇むのを好む女たちが「ついてまわる」のだ。

文献③によれば、北欧と南欧の魔女の活動には大きな違いがあり、地中海沿岸の魔女が結社をなした集団なのに比し、北方の魔女はもともと個人的な存在だとする「従来の定説を破る」説が浮上したという。北欧のサガやエッダについて見ても、魔女は一人ぼっちであり、人々が生活する共同体から離れた森や荒地に棲む。魔女は共同体から閉め出された、異界の単独的住人である。ゲーテ『ファウスト』に描かれるブロッケン山の魔女の乱舞伝説は、じつは北方地帯にあって稀な事例なのだとする説も紹介されている。

共同体から一定の「距離」を保って生きる魔女的人物——いや、魔法つかいと迷子グレーテルを兼ねたようなキャラクターが、「ふたくちおとこ」「かげおとこ」「ふえふきおとこ」と並べられた本書の「影」として配されていることは一読して明らかである。

「ふたくちおとこ」の序章で、放浪するティルのさまは「……町から町へ渡る途中に、闇あがってくるものに呑まれてしまわないように、前方をにらんで……」と書かれる。

「闇あがってくるもの」とは日本語としていささか奇態な言葉（脚本『ティル』では「巨大な得体の知れないもの」となっている）だが、「おとこ」を呑み込んで増幅する創造女神の息のかかった「もの」とみなしてもいいように思われる。

ある音楽家の作品をめぐるエッカーマンとの対話の中で、ゲーテは「……あの永遠の渦と旋回は、ブロッケン山の魔女の踊りを彷彿させたよ」云々と語っている（ちなみに北欧語の一つデンマーク語の「魔女の踊り」Hexedandsは、物事が予測不可能の地平へめまぐるしく変転したり、人間の気分が極端から極端へと定めなく移り変わる意にもなる言葉だ）。

本書を読み終えた私の感想もまた、渦と旋回という言葉によって特徴づけられる。当方に〝交感〟をうながす魔女の踊りは、しかし、集団的狂躁と一線を画す、すぐれて北方的、単独者的に「闇あがってくるもの」だと確認した次第である。

地母神ゼロの物語――『変身のためのオピウム』

タイトルと目次をざっと見渡してギリシャ神話に有縁のものとわかったので、急いで手持ちの参考書として呉茂一著『ギリシア神話』をぱらぱらめくり、小説に登場する二十二人の女神（？）ふうキャラクターと照合させてみたけれど、予想通りムダ骨だった。そもそも最古のヨーロッパ文学の原型をなすギリシャの神話伝説自体が複雑で容易に全貌がつかめなかったことなども思い出された。ギリシャ名とローマ名の対応ひとつとっても変身もしくは変態があるため記憶になかなか定着してくれない。

多和田葉子の『変身のためのオピウム』はこうした〝原典〟自体が孕む変幻性を逆手にとって書かれた作品であるとまずはいうべきだろう。

たとえばわれわれにも親しい神の一人ディオニュソスはローマ名で酒神バッコスとなるが、その母ゼメレは本書第十四章のヒロインの名である。評者は書物の形をとる前の――十四章ヒロインの好きなモノにたとえれば蚕紙にも似た文字が産卵された校正刷で読んだのだからこんなことをいってもナンセンスになりかねないけれど、前記『ギリシア神話』（ただし旧版）と同じページ数のところにゼメレにまつわる記述が出てきたので少しばかり驚いた。だが神話的符合一致を確認できたのはその一事だけだった。

ゼメレは大地母神の名ゼメローをギリシャ語に直したもので、ロシア語のゼムリャ（土地）とも同根という。

しかし本書の話者「わたし」は、詩人・小説家・劇作家・ダンサーといった芸術女神＝ムーサにつながるキャラクターたちを語る時でさえ、〝産んで残す〟いとなみを無化せんとする情熱に取り憑かれている。変身のためのオピウムとは、その情熱が持続するよう特別の地母神が話者の体内にうめ込んでくれたエネルギー物質発生装置を指すらしい。

何も残したくないと強く念ずる眠り姫っぽい「わたし」を呼ぶのはゼロ地点である。次の女性の元へ急ぐ「わたし」は休みなく新しい陶酔状態を求める。しかし、ゼメレの章で語られているように、ゼロに到達するには、自分自身をスピードの中に失い、自分自身の不在に出逢わなければならない。

この絶対矛盾ともいうべき飛躍を話者に強いる地母神の名はゼメローではなく、ゼロに変身している。もっと大きなテーマがあるでしょうに……と問う登場人物に同意する読者の耳に、つかみどころのない存在のままでいることを願う話者のつぶやきがエコーする。テーマは、小さければ小さい程いいのよ。

月裏人からのオマージュ

多和田葉子の文学活動に思いを馳せると、きまって卑小なわが頭上に「井の中の蛙大海を知らず」とか「井蛙の見」とかいう月並みなコトワザが降ってくる。室井なる当方の姓が、すでにしてしがない蛙の棲み処を指す文字を含んでいるのだから仕方がないか……などとつぶやきながら多和田葉子の近業の中でも象徴的と思われる——姉妹編と呼んでもよさそうな小説『容疑者の夜行列車』とエッセー集『エクソフォニー』をセットで読み返してみた。すると井蛙はわが身の閉塞状態を一瞬忘れ去り、セイア！　セイア！　というかけ声を発しながらとび跳ねたい心持ちになった。

『エクソフォニー』の巻頭では、世界文学回遊魚（などとはいっていないが）としてのブリリアントな活動宣言がなされている。言葉をめぐって常に動きつづける世界——それはあたかも太平洋におけるあらゆる種類の魚の動きにも似る。その全体を把握するのは不可能に近いが、抽象名詞をキーワードとした当初のアプローチをやめ、自分が魚になって、いろいろな海を泳ぎ回ってみるとうまくゆくことに気づいた。

そういう書き方の方が、いつも旅をしているわたしの生活には相応しい。というわけで、本来は抽象名詞の占めている場を、町の名前が埋めることになった。わたし自身も魚なのだから、魚らしく海を泳ぎ歩いて、様々な土地の言語状況を具体的に鱗で感じとるのが一番いい。

こうした〝抽象名詞の変容〟に潜むドラマが多和田文学の核質に関わるものであることは、小説『容疑者の夜行列車』からも容易にみてとれる。二著共に、「町の名前」が章名にくみ込まれている。それぞれ別種の文体ながら、エッセーと小説の世界が不可思議な融合をとげる。たとえば、「ハバロフスクへ」向かうシベリア鉄道の旅の途次で主人公は「列車から落ちてしまった」というカフカ的悪夢をヴィヴィッドに生きることを余儀なくさせられるが、このシーンと、『エクソフォニー』の第一部「母語の外へ出る旅」の最終章の一節とをシンフォニックに、いやエクソフォニックに重ね読みするのはすこぶる興味深い。一九九九年夏、十日間マルセイユに作家交流プログラムのため滞在した時、意味が分からないフランス語に耳をさらした小説家の身に、夜、異変が起こった。

まるで、麻薬でも打ったようになって、生まれてから見たこともないような夢を続けざまに見た。……わたしの感情は、鎧や衣を失って、裸で立っている。ちょっと空気が震えただけで、泣いたり、喚き散らしたり、人を殺したくなる。このままいったら大変だという予感がする。……わたしが密かに求めていたのはこんな世界だったのだろうか。恐ろしいと同時に、これほど密度の高い生を味わったこともない。ひょっとしたら言語の本質は麻薬なのかもしれない。

言語の本質が麻薬であるとは、〈変身のためのオピウム〉を読者に分け与えつつ、「個々の言語が解体し、意味から解放され、消滅するそのぎりぎり手前の状態」という悪夢のかたちをした言語ユートピアを共有せんとする多和田文学のライトモチーフの一つといっていいだろう。井蛙自身、日本語とドイツ語の両方で創作を実践する〈ふたくちおとこ〉ならぬ〝ふたくちおんな〟――あるいは〝国際的歩き巫女〟のうながしで数年前ベルリンへおもむいた際、意味の分からぬ異語をひたすら浴びた果てに、麻薬を打たれたカエルのような状態のまま倒れ伏した貴重な「異変」体験を想い起こさずにはいられない。

『エクソフォニー』によれば、ドイツ語で時勢に遅れている人を「月の裏側に住んでいる」と表現するという。多和田葉子の文章にふれると、井蛙すら月に向って跳ねとび、ついには月の裏側の住人＝月裏人になれる……そんな気がしてくる。

〝愛苦しさ〟あふれる物語──『雪の練習生』

練習という言葉が好きだ。学校で強制される種類のそれは除いておくが、練習と名のつくものに心ひかれてしまう。自分でも練習帖と銘打った著作を出したことがある。

職業人としての著作家についになじめぬままの評者は、作家とか評論家とかの肩書が苦しく感じられる。だから、ヨミカキに従事する自らを〈テキストの練習生〉などと呼ぶこともある。

そんな評者にとって、『雪の練習生』は読むべくして読んだ作品というしかない。「人と動物との境を自在に行き来しつつ語られる、美しく逞しいホッキョクグマ三代の物語」──。帯に記されたその文言が目に入った時、脳裏をかすめたのは、カフカの一連の動物寓話だった。予想通りそれらは、ベルリン動物園で生れたアイドル「クヌート」の祖母である〝ペンを持った〟シロクマの自伝(本書の一篇)で言及される。

日本語とドイツ語両方で創作する作家多和田葉子の作品解説で、〈テキストの練習生〉を評者はこれまで幾度かやった経験をもつが、本書を読み終えて、「とうとうここまできたのか……」の感慨に打たれた。

「ここまで」のことはどんな場所なのか、は読んでのお楽しみだけれど、作中の言葉を一つだけ引いておくと、「わたしは足を踏み込んではいけない地帯に来てしまっていたのを感じていた。ここでは諸言語の文法が闇に包まれて色彩を失い、溶けあい、凍りついて海に浮かんでいる」。

三篇から成るうちの中篇の一篇「死の接吻」に出てくる右の言葉に接し、ドリトル先生の「古代貝語は難しい。だから私はとりあえず金魚語からはじめる」というセリフを思い出した。評者も口まねして言う。「ホッキョクグマの言語は難しい」。だから読者は、その〝キョクホク語〟習得のために「死の接吻」を繰り返し練習する必要があるだろう。

足を踏み込んではいけない地帯だけで触れることができる、通常の意ではない〝愛苦しさ〟にあふれた物語だ。

Ⅳ　対話篇

——多和田葉子＋室井光広

言葉の「物の怪」● 1997.6.9

イメージとエピソード

室井　少し前になりますが多和田さんがお書きになった、韓国出身の画家の生地慶尚南道にご一緒されたときの体験をめぐるエッセイ（「筆の跡」、「新潮」一九九七年三月号）があって、とてもおもしろかった。これ自体が一篇の短篇みたいな感じで読んだのです。

この画家は農家の生まれで、小さいころトイレに行くのが怖くてしようがないので、本物のトイレとは別に、幽霊が集まるであろうと思われる偽の壺を作って吊り下げておくという話について触れられているのですけれども、僕は最初、何となくそれが実在するトイレというか、つまり本物のトイレとは別に、幽霊が行くトイレが慶尚南道なる土地には実在するものだと受け取って読んだのです。

ところが、よく読み返してみると、そうではなくて、これは接続法的世界というか、この画家の方が空想したもので、そのことをイメージに絵をお描きになったという話なんですね。この方とはいつごろからのお知り合いですか。

多和田　知り合ったのは二、三年前です。彼女もハンブルグに長いこと住んでいるんですけれど、初めは、看護婦さんとして集団就職で来たんですね。韓国にはキリスト教系の学校がたくさんあるようですが、そういうところから、ドイツの病院や社会福祉施設に就職しに来る人たちがかなりいたようです。彼女はソウルではなくて、田舎の農家の出身です。絵は好きで、ずっと前から描いていたそうです。

室井　じゃ、留学生みたいなことじゃなくてね。

多和田　留学じゃないんです。出稼ぎ労働の一種と言っていいかもしれません。病院で働いていた頃の生活を描いたデッサンがありますが、これが、また面白いんですよ。自分が兎の姿で描かれていて、わたしなんかは、動物の体の線が鳥獣戯画を思い出させるようだなあとも思いました。ドイツには留学に来たのではなくて、初めの頃は働いていたという点は、私も同じで、その頃の苦労が作品に出ているという点も同じだと思いますが、彼女の場合、文化や言葉の違いだけではなく、田舎と都会の違いというものにも驚いたそうです。たとえば、それまでシャンプーというものを見たことがなかったそうで、ドイツに来てから、シャンプーというのはどういうものだろうと秘かに考えていたところ、それらしい白い容器がバスルームにあったので、それで髪の毛を洗った。ところが、翌日、掃除婦がそれでトイレの掃除をしているのを見て、ショックを受けた。「アタ」というドイツの製品なんですけれど。それで、自分は文明人ではない、と思って、初めはひどく恥ずかしく思って、そのうち、そういう製品がどれだけ公害の元になるかということなどを知って、そういう製品を使うことの方が恥ずかしいのかもしれないと思うようになっていくのですが。

私なども工業社会の批判のようなことは口にしますが、だからと言って、それに対抗できる自然に近い生活とか、伝統的な生活様式を知っているわけではないんです。六〇年代の東京は、畳の上にじゅうたんを敷いて、そこにテーブルや椅子を置いたりして、パンもご飯もマカロニも食べて、コーヒーも紅茶も日本茶も飲んで、つまりいろんなものがごちゃまぜで、どれが日本の伝統的なものでどれが西洋のものかなんて、考えてみたことさえなかったんです。だから、「アジアの伝統は今や破壊されて西洋化があまりにも進んでしまっている」という同情に満ちたヨーロッパ人の目に出会うことが、私にとっては、一番のカルチャーショックでした。あ、そうか、畳は日本のもので、椅子は外国のものという見方もできるな、と初めて気がついて。

室井　僕なんかが、このエッセイを読んで心を動かされたのは、慶尚南道の、その方の生まれ育った原風景みたいなものが、僕自身のものと重なって共振したというか、多分そういうところにあるんだろうなと思ったんです。

小説を書きこじらせていた折だったので、あのエッセイの世界に余計に救われる感じをつのらせたともいえるのかな。もっとハッキリいっちゃえば、あそこで多和田さんが書いているような高度な意味ではなく、ごく普通に用いられる「完成度の高い」作品が望めない人間の自己合理化（笑）。

僕は小説の中で、エピソードをただばらばらにつないでいくみたいなことをやる。そのエピソードの全部ではないにしても、かなりの部分がファクトの重みをもっていつも幽霊っぽく自分につきまとってはなれないものなんですね。たとえば、小学生の頃ですが、僕の村では、朝起きたときにみんな池の周りで洗顔した。池の周りで顔洗って、歯を磨いたりする。ですから、当時は玄関先に歯ブラシとかそういうものがみんな置いてあるのですね。ちょうどその近くにセメダインのチューブを僕が置き忘れちゃった。それまで頑固に囲炉裏の灰でしか歯を磨かなかった祖父がある日一大決心をして練り歯磨きをつかってみようと思った、ところが彼の手に取ったものは僕が置き忘れたセメダインのチューブだったんですよ。

よくこんな話をでっち上げたなといわれるんだけれども、これは全くの事実で、今昔物語ではないですけど、わが家で今も生々しくオカシサをこらえつつ、「となむ語り伝へたる」ファクトなわけです。さっきのシャンプーの話で、このセメダインのチューブの話をちょっと思い浮かべてしまった。

多和田　それで思い出すのは、ドイツには、着物を着た日本人らしき女性の絵が描かれた「ゲイシャ」という商品名の缶詰があるんですよ。「ツナ」と小さな字で書いてあるんで、ツナの缶詰らしいということは分かるんですけれど、初めて見た時は、どきっとしましたね。わたしの小説の中では、主人公がそれを見て、日本人の女性の肉が入っているんだろうと思って、缶詰を開けることになっているんですけれど。

室井　もの深い話ですね。先程のエッセイの一つのテーマは「偽物」です。この画家の場合は、偽物のトイレを自分でイメージした、事実としてそういうものがあったわけではなく、後になって自分の作品の中で、そのイメージがよりインパクトのあるものとして、実際の現実よりもすごいものとなって定着してあらわれたということなんでしょうね。

多和田　そうですね。

「もの」から「化け物」へ

室井　実は僕、最近ちょっと必要があって、「もの」という言葉を、そんな難しい大型の辞典ではなくて、中高生なんかが使っているようなごく普通の国語辞典で、ものづくしというか、いわゆる物色という感じで、「もの」というのをあらい出してみたのですね。モノをめぐるモノマニアふうモノローグ（笑）のために……。

そうしたら、これは全く僕がただ無知なために、そういう基本的なことを知らなかっただけなんですけれども、例えば「ものもいわずに出ていった」とか、「ものいいが気に食わない」とかって我々がしょっちゅう使っている「もの」が、実はずばり言葉であった。

つまり、日本語のものというのは、物質とか物体とか物品とかいうサブスタンシャルなものを指すばかりでなく、「ものにとり憑かれる」という用例が典型ですけど、いわゆる物と付きもの=憑きものになっているものとして、言葉自体を内包している。恥ずかしいことに、こういう基本的な事実を僕としては発見した心持ちで、ああ、そうかと思った。

われわれが肩書きとしてつかっている「もの書き」というのは、物事について描写していろいろ書きあらわす、もちろんそういう意味もあると思いますけれども、「もの書き」は言葉を突き詰めて、言葉自体につまずくというかとり憑かれるというか、言葉そのものを考える仕事なんだなということを、非常に初歩的に確認した次第なんですよ。

多和田　「もの」というと、何か化け物みたいな、海坊主が海から上がってくるじゃないけれども、そういう感じが一瞬するじゃないですか。だから、言葉だけれども、その言葉は、普通はおとなしくしているのが、もの書きが書いたときに、何かふっと化け物、できものみたいになって上がってくる。その瞬間というのはすごくて、室井さんの小説でも、例えば「生半可」というのをなぜか「なまはげ」と読んでしまうところがありましたね（笑）。その瞬間、小説の中からぱっとあらわれるなまはげがあるじゃないですか。それもやはり「もの」ですね。だから、言葉そのものは本当は「もの」なんだろうけれども、私たちの日常の中では、一応死んだふりをしているような、それがある文学の中であるととらえ方をされることによって、「もの」になって、化け物みたいになって急にあらわれてくる。そういう感じがある。

室井　そうですね。最近の多和田さんの短篇なんかにも、お茶の葉っぱ、我々がよくティーバッグなんか使って飲んでいる、それこそものが出てくるのですけれども、それを湯に浸すと、つまり半ば透明になるという一節があって、その話とも僕はどこかつながりがあると思う。

お茶の葉っぱはもちろん単なる葉っぱなんだけれども、それが集まって紙に包まれて、湯に浸すと……あの中で、僕が覚えている印象的な一行に、味は目に見えないけど出てくる出てくるみたいな言い方がたしかあった。それが韓国出身の画家宋賢淑さんの話にも通底しているという気がします。

今回、ものづくしとか物色をやって、非常に基本的なばかばかしいことを確認したことがあって、余り悪いものにばかりとり憑かれると、現実的には厳しいことになるし、精神的にも追い詰められたときに、我々、すぐちょっととり憑かれた状態になるんだけど、でも、隠れているもう一つのものを召喚することを絶えずやるしかない。トイレの話と同じで、闇自体を自分で手づくりしないと、闇そのものが成立しがたくなっているような状況ですからね。

多和田　宋賢淑さんの村の闇も印象深かったですね。彼女にとっては、お化けというのは何よりまず、その闇の中に住んでいるものなんだろうと思いました。もちろん、彼女の絵画の中にもお化けは住んでいるように思いますけれど、それも、闇のようなものをカンバスの上に作り出せるから、現れるんでしょう。ここでお化けと言うのは、彼女がドイツ語でいつも「ガイスター」と言っているもので、幽霊でも妖怪でもいいんですが、闇のない東京で育ったわたしにとっては、ガイスターは闇とは関係ないんです。たとえば、子供の頃、昼間留守番をしていて、夏の午後の団地中が静まりかえった時間なんか、すごく怖かったですね。何か見えないものが確かにそこにいるんで怖かった。それから、夜、電気をぴかぴかにつけて、トイレに行くのも怖かった。そういう意味で、闇がなくなった都会でも、ガイスターは光の網目から透けて見えてくるようなことがあるのかもしれないと思うのですが。

室井　「犬婿入り」の作品世界と関係がある怖さですね。……昔、僕ら肝試しとかやらされて、提灯提げて夜の二時ごろ墓場へ行けるかというので、行けとかいわれて、嫌だとかいっていたのです。

今でも、やはり行けないですね。今の田舎は、野山にけものなんかもだんだんいなくなってきている。魔物の類は絶滅にひんしているときかされても今だってやはりできないのですよ。何もいやしない、怖いものなんか何もいないということを理性で完全にわかっているのに、それもさっきの、つまり言葉としての、理性としてのものではわかっているんだけれども、でもやはり提灯提げて、提灯でなくてもいい、すごい大きな電灯を持ってもいいのですけれども、一人で二時ごろ、それこそ丑三つ時に、わずか五〇メートルくらい先のうちの墓場には、多分僕は今も行けないですね。

多和田　何でそうなんでしょうね。

室井　理屈ではないということなんでしょうね……。多和田さんの作品に「隅田川の皺男」なるタイトルのものがあるのを思い出しながら、僕の生家でやはり母屋から離れたところにあった厠に夜中行くのにつかったシワだらけの提灯を、トイレをオカワとよぶのにちなんで「オカワの皺男」と命名することにしました、これはたった今思いついたんですけど(笑)。ひるがえって魔物とは一体何なのかといったときに、先ほどのエッセイで、多和田さんは、この世での普通の社会生活の中に自分の居場所を見つけることができないものというふうにおっしゃってますね。あるいは死者とか、理由のない恐怖感とか、混沌とした思考とか、悪夢的映像とか、不可解な欲望ということを挙げておられる。非常に鮮やかな言い方で、これに尽きるだろうと思うのです。

こういう「もの」を僕自身がどういうふうに考えるかというと、「面妖なもの」という感じでまずくくる。面妖なものというのは、何となく恐ろしくて、ちょっと不可解で、でもその後が、ちょっと僕はいいたいんだけれども、いわゆるギャグ的に笑うのではない、条理を超えたものに接したときには、私たちはおかしいというか、それは条理に反するじゃないかといって指弾することができない類いのおかしさがくる。声に出すか出さないは別として、一般に笑うときは我々はおかしくて笑うんだけれども、その笑いの中には多分一割か、あるいはもっと少ない率かもしれないけれども、何かねじれちゃって、不可解になっちゃったあげくに笑うということがある。そのときの笑いがどんなものなのかは、そのとき直面した憑き物、魔物の性格によっても違うと思うのです。

なんですね。

室井　実は、「おまえの小説もどきを読んだぞ」といってくれる奇特な人の話をきいて、僕がホッとするというか、うれしいのは、一度でも何か笑っていただける箇所があったということなんですね。

多和田　私はたくさん笑いますよ。仕事で列車に乗ることが多いんですけれど、室井さんの本はみんな列車の中で読みました。日本語が懐かしいという感じがすることが時々あるんですが、そんなときには日本の新聞を読んでも雑誌を見ても、満足しないんですね。そういうときに、室井さんの本を読むんですよ。言葉そのものが主人公になっているところがいいですね。馴染み過ぎて気にもしなくなっていたような言葉が、急に思ってもみなかったような新しい姿を見せてくれたりすると、思わず声を出して笑ってしまうわけですが。

いろんな笑いの種類が確かにあると思うのですけれども、その一つは、多分室井さんの小説で私が笑うところは、何か方言からとってきたような、私が知らないような日本語、聞いたことはなかったんだけれども、すごく親しみを感じるような、何か心に触れるところがあるような、そういう日本語の単語が、突然ヨーロッパの言葉とつながる。一回つながるだけじゃなくて、どんどんつながっていったりしますね。

そうすることで、普通の頭の中にいつもある、ここが日本語でここが外国語の地平というのかな、平面というのかな、そういうふうになっているのが、突然ガタガタと崩れて、頭の中で違う風に組み合わせが変わっちゃうのですよ。

笑いというのは、多分わたしにとってはそういう動きのことですね、頭と体に同時に起こるバイブレーションです。笑っている時には、おなかの皮が震えているんでしょう。それは、頭の中でも言葉が振動しているからじゃないかと思うんです。震えて、揺れて、ゆすぶりあって、その瞬間に、日本語の単語の方も、ヨーロッパ語の単語の方も、両方一瞬ぱっと生き返るじゃないですか。いつもいるコンテキストから変な組み合わされ方することで飛び上がってくるから、それが生き返って、言葉が生きる、言葉のアニミズムですね、それがすごいおかしいのですよ。

室井　おかしさということでは、僕も多和田さんの作品は非常におかしい、おかしくてたまらないところがたくさんある。一つの例ですけれども、「ひげの中で笑う」という言い方が、多分ドイツ語の中にもあるはずで、英語では「スリーブ」、袖の中で笑う。フランス語でも、女の人がかぶるケープの中で笑いを隠すという言い方があるそうで、これは今僕が集中的に読んでいるキルケゴールという思想家の著作にからんで知ったものです。

肉体的に精神的にいろんな意味合いで優位に立っているものが、結局劣勢に立ったものを見下すというか、そういうところで成立しちゃう笑いが残念ながら非常に多い。

もう一つ、英語やドイツ語で、「笑いあるいは笑う人を味方につける」という表現なんかも自分が有利になるニュアンスに近い。劣勢を挽回して、今度はおれが笑う番だみたいな、今まで笑いものになってきたけれども、今度はこっちが笑ってやるぞみたいにどうもなってしまって、多分普通の用法ではそういう使い方が多い。

隠れて笑うといった状況では、どんな声になるのか、それはわからないんだけれども、その笑いの中に、何かさっきの話で幽霊とか憑き物、化け物みたいな、いつもの次元ではちょっと説明つかないような「もの」に接したときに、奇妙な呪文めいた叫びを発するしかないような瞬間が付随している。

書き物というのは、単なる記号としての文字ではもちろんないし、それが都会的な空間を描いていようが、土着的な雰囲気の漂うものであろうが、そんなことも僕にとってはどっちでも構わない。記号としての文字が、もう一つの何かちょっとおどろおどろしいようなものを絶えず引きずりながらあらわれてくる瞬間、それに遭遇したときに、ああ、行き会ったなというか、僕らの村では大仰に「イッキャッタア！」というのですけれども、ユリイカというか、ああ、本当に出会った、おかしいものに出会ったと感ずる。僕が多和田さんの作品に感じる「もの」もそれなんだろうと思う。

ギャグ的に人を見下した笑い、優位の笑い、今度はおれが笑う番だということじゃなくて、本当にひそかに笑ってしまうしかないような、もしかするとその後に哀しいというか、あるいはなつかしいといってもいいんだけれども、なつかしいような、哀しいような感触が残る、そういうものにいつも出会いたいと念じているんだけれども、これは事物でも人物でも書き物でも、なかなか出会えないんですね。

おかしさと哀しさとのそのボーダーに、傷痕とか縫い目、現実と幻想との間の縫い目みたいなものをつくってやった方が、おもしろいと考えてしまう。そこを目指して、そこを依りしろにしてガイストがすっと入ってくるというような、そういう幻想的な縫い目みたいなものを、僕は小説にもとめる。

まともなものをもう少し書きたいと念じる一方でエピソードを数珠みたいにつないでいったときの縫い目みたいなところをあえて残しておく。そうすると、一見関係のない事物の間を越境する「もの」たちが、多少その縫い目のところでみずから会話してくれるんじゃないかなというような。

多和田　そうですね。私もその方が、これはいろんなエピソードをつなぎ合わせたんだということがわかるように、その跡は残しておいた方がいいと思いますね。

それに、関係のない二つの言葉と言葉をつなげる場合でも、それがつなげられた縫い目みたいなものが残っている方が、何か、それこそ「もの」があらわれるチャンスは大きいんじゃないかなと私も思いますね。

詩的な「もの」いい

室井　ご自分の文体を詩的というふうにいわれることが多分多いと思うのですけれども、それについてはどうですか？

多和田　どうでしょうね。

室井　小説の前に詩をやられていますね。今現在は詩は全くお書きにはならないですか。

多和田　そんなことはないです。というか、私はずっと小説のようなものの方をたくさん書いていたのですけれども、ドイツに来た最初の年とその次あたりに、何か言葉が粉々になったような年があって、そのときにずっと詩を書いていた。

室井　それは日本語で？

多和田　日本語ですね。私のばらばらになった日本語の破片が詩になって、その後、また今は小説になっていますけれども、でも昔のように、一度ばらばらになったものを縫い合わせた散文だから、それこそ縫い目が多いのでしょうね。だから、それは詩的ということでしょうけれども、私が思うには、散文から詩的なものを抜かしたら、もう文学ではないんじゃないかと思うので、絶対必然的なことだと思います。

室井　なるほど。僕はそのことを仮にどういうふうにいうかというと、自分なんかも評論めいた文章を書くのに、それは「詩的な文体だ」というしかないかなと思う一方で、何かもう一つそこに付加したいものがあるとすれば、実は先ほど来話している、——昔、プレハーノフの「史的唯物論」というのがあったのですけれども、僕はそれをちょっともじって「詩的唯物論」風(笑)、詩的唯物論者として考えたい。僕のイメージの中では、ポエジーを伴った唯物論のその「物」が、実は日本語では腹に一物あるという場合の「モツ」とも読むし、また仏教の仏様と同じ、物体なんだけれども、観音仏の「仏」というふうにも読んでしまえる。「仏」であり、「物」であり、先ほどの憑き物、魔物、できもの、そういうちょっと面妖なものどもをつき従えた詩的な世界を多少でもつくれたら本望、みたいなところがある。

その「詩的唯物論」風ということを考えたときに、実は最近、翻訳で読んだのですが、アメリカの黒人の女性作家、ジャメイカ・キンケイドという方がおられるのですけれども、ご存じですか。

多和田　いいえ、知りません。

室井　実は僕も最近まで知らなくて。ある出版社が「新しい世界文学」というシリーズを出した中の一人です。そのシリーズに選ばれた世界各地の作家というのは、もちろんいろんな意味でのマイノリティーであるし、例えば英語で書いていても、いわゆるかぎつきの「英文学」というのですか、僕は本当に恥ずかしいことに、一九八〇年代に独立した国があるなんてこと自体が、物すごくショックだった。そういう国で英語で書いているんだけれども、当然その英語はいわゆるオーセンティックな英文学の中にすんなりとおさまるようなものではない。しかし、英語で書くことによって、もちろん日本語なんか比較にならないくらいの市場流通力を持っている。

キンケイドの短篇集、僕は非常に鮮烈な印象をもった。「詩的唯物論」のサンプルみたいなもので、翻訳ではありましたけれども、十分伝わった。何となく英語で書かれたものというと長篇中心でしか読んでこなかったんですけど、「ニューヨーカー」に発表したものという性質もあって、短篇を集めている。その短篇には、ウォレス・スティーブンズという二十世紀のアメリカを代表する大詩人の影響を受けたものなども入っている。現在英語圏で大変注目されている黒人女性作家らしいのです。この方は女性であるとか黒人であるとかで、同じ英語でもかぎつきの、ちょっと異なる英語、微妙な乖離をはらんだ、それこそ面妖な要素がいっぱい、憑き物がいっぱい詰まった英語のようです。また先ほどの話に戻っちゃうんだけれども、こういう女性作家の場合も、詩的唯物論というのでしょうか、何か名状しがたい光が訪れて、そのアウラというか、「もの」と心がついているというか、リンクしているようなもの、話者の上に降ってくるものとして全体が書かれていて、多和田さん的な世界なんかと通底している。

多和田 室井さんの場合も、日本語、それも方言として出てきているのは、自分の生まれた土地の言葉なんですね。でも、それを外国語のように扱って書いているような印象を受ける場合もある。

わたし、最初に室井さんの「おどるでく」を読んだ時には、この作者は本当に方言のある土地で育ったのではなくて、きっと研究熱心な人で、調べて書いたんじゃないか、と思ったんです。土地独特のものに対する距離の置き方がそう思わせたんですね。一方、調べただけでは分からないのではないかと思えるようなことまで出てくるので、やっぱりこの人には、こういうフルサトがあるのかなあ、とも思ったりして。それにしては何かかかわり方が、何というのかな、これが自分のルーツだぞ、ここから自分は来ているんだみたいなアイデンティティーをそこに求めるような態度が全くない。まるで英語の単語、それもアメリカに住んでとかじゃなくて、『英単語一〇〇〇』とかで見る英単語を扱う態度と、その方言の言葉を扱う態度が同じような感じになっているから、これはどういう人なんだろうというのが、最初に感じた疑問だったんですね。

室井 『英単語一〇〇〇』と同じ位相というのはふるってるなあ(笑)。すごく気に入りました。僕、あっという間にクビになったけど、予備校の英語講師をやってたことがあるんですよ。敬愛するボルヘスは若い頃、気負いに気負って故郷ブエノスアイレスの方言のおびただしく登場する物語をでっちあげたことがあったそうで、しまいには自分でも意味不明のシロモノになっちゃったと書いてますが、『試験に出るデクノボー語』なる小説を僕も書き損ねたとはいえるかもしれません。僕は、多和田さんみたいに実践的な、つまり生きた異言語の渦の中に入ろうという勇気がもてないまま、それこそ図書館員的な世界に逃げちゃった人間です。室井の井はまさしく「井の中の蛙」の井で、昔、俳句をやっていたとき「井蛙（せいあ）」という俳号をつかおうかと思ったくらいでした（笑）。図書館員というのはご存じのように、実践的に生の渦の中に入っていくよりは、書物を背にして、本と本の間に隠れちゃうみたいなところがある。

図書館の書棚と誤植

室井　それはそれとして、多和田さんの場合は、外国語への接点ということからいうと、たしかロシア文学科のご卒業なんですね。

多和田　ええ、そうです。

室井　ロシア語とドイツ語というのが、それこそ地理的には隣接しているという意味合いで、何かドイツ語的なものは、カフカのオドラデクじゃないんだけれども、スラブの起源とドイツの起源は源を同じくしているようなところ、田んぼから畑に移ってみたみたいな、ある種の近さはないのですか。

多和田　私はドイツ語は高校のときにやっていて、ロシア語の前からやっていた。だから、偶然で……。

室井　高校ですか。それは選択授業で？

多和田　そうです。第二外国語。

室井　すごい進んだ高校だな。

多和田　古い高校だから、昔ドイツ語だったじゃないですか、旧制中学は。だから、それが残っているだけで、新しいんじゃないのです。古いの。

　大学でロシア語だったのですけれども、でもそのときに習っていたロシア語でもドイツ語でもそうなんですけれども、言葉というのは、私にとってはもちろん生きた言葉じゃなくて、学校で習った英語と同じで、外国語として習った言葉というだけで、別に話せたわけでもないし、普通に本が読めたわけでもない。

　ベルリンにはよく行きますが、あそこには、町の街区の名前で、シュテークリッツとか、パンコウとか、スラブ系語尾のがありますね。それから、ベルリンでわたしがいつも朗読会をする会館のある通りが、マヤコフスキー通りという名前で、地名って不思議ですね。耳にしただけで、歴史的繋がりとか地理的繋がりとか、そういうものを感じさせられてしまうから。でも、わたしにとっては、言葉と言葉の間にあるものは、繋がりではなくて、まず溝だという気がします。シベリア鉄道でヨーロッパに来たときには、地面がつながっているということにむしろ驚いたくらいで、実際には、ひとつの言葉からもうひとつの言葉に移動する時には、その間に意識不明の状態のような、時間の断絶のようなものがあるように、わたしは思うのですが。

室井　そうすると、ロシア語は……。

多和田　わたしの文学には関係ないですね。英語と同じで、学校で習った単なる外国語です。

もちろん、それは、ロシア文学がわたしに関係ないということではないですよ。わたしがロシア語を通して、日本語には置き換えられないような体験をしたことがない、というだけのことです。残念なことだとは思っていますが。

図書館的ってさっきおっしゃっていましたけれども、自分が育った言葉というのがあるじゃないですか、肌にべたべたくっついてくるような。その言葉に対して距離をとるのが、一番難しいことじゃないかしら。見知らぬ生の言葉の中に飛び込んでいくことじゃなくて、自分がもともと浸っていた、そこから一度離れるというのが一番難しいことじゃないかなと私は思ったのです。その辺は、室井さんはどういう言葉をしゃべっていらしたんだろうと私は思ったのですよ。小説を読んだ限りで、全く見当がつかない。

室井　図書館員であることの熱い意味合いを大半の人はわかっていないという言い方が、たしか多和田さんの小説にありましたね。僕はそういう言葉、一行読むと、それこそヒゲの中で笑いながら、そうだぞみたいに思うのですよ。図書館員であることの熱い意味合いをおれは知っているぞ（笑）みたいなところが実はありましてね。

僕がどっぷりと浸かっていた土地との関係史を話し出すと、すぐに多和田さんのいう「〈生い立ち〉という虚構」なる表現を思い出す。本当は、精神分析をうける人みたいに、話すだけ話して、記録には残さない（笑）というのがいいですね。「井の中の蛙」が、井を出てみたものの、多和田さんみたいに大海に乗り出すこともできず、せめて芭蕉的古池をめざそうという気持ちで図書館員になった。これではさきほどの問いにこたえたことにならないのですけど……。図書館員というのは目次とタイトルだけ読めればいいのです。僕がたまたま担当させられたのは、だれもやりたがらないという理由で、段ボールに入って山積みになっていた本があった、アジア諸国語でした。アラビア語とかロシア語とか、中国語が一番多かったのですけれども、箱入りにされたものを開いて、それを全部振り分けて整理しなさいといわれた。

僕はそれを七年やって、何もわからないんだけれども、目次を見て、大体これはどんなジャンルのものであるという振り分けができるようになりました。

ボルヘスの処女小説集に『汚辱の世界史』というのがありますけど、これを普通に分類すると、世界史のコードに入ってしまったりする。これは何か非常に汚辱に満ちたエピソードが書いてある世界史の本か、てな具合に。そうすると、それは分類の誤りになる。僕はいわゆる分類訂正というのもやっていたのです。

非常に働きの悪い図書館員だったんですけれども、仕事と称して暗い書庫にほとんど一日いたりした。薄暗い一角に椅子を置いて座っていたりしたのです。

座って、いつも見ている目の前にそういう誤った分類の本がたまたまあって、異物というか、図書館には周りのものたちと同じジャンルに必ず同じ系統の本があらねばならないという法則が一応あるのですけれども、この本だけ違うんじゃないかと思って、僕はそう思いながらも直さないでいた。その本の印象って、何か非常に愛着感があって、先ほどの話とそれてしまっているのですけれども、図書館員の熱い意味合いということで、そのことをちょっと思い出しました。

多和田　でも、そうじゃないですか。詩的な言葉というのは、その詩的に見える文章が立っているように見えるというのかな、イメージ的にそこにはまってないように見える。だから、詩的な詩のテキストというのは、わざと本の位置を置き換えた本棚みたいな、そういうイメージじゃないですかね。

言葉が報告のための道具として使われている文章というのは、全部がちゃんと分類されている本が並んでいる本棚みたいな感じじゃないですかね。

室井　実は僕はやめる直前にそれを直しました（笑）。今でも覚えている。ボルヘスの『汚辱の世界史』は世界史の本ではない……。図書館の分類コードでは九門になります。歴史は二門でありまして、二門から九門にちゃんと帳簿を直してやめた。でも、それを直したら、はい、一巻の終わりみたいな感じが、どうもしていたんですね。

もしかしたら、僕らが今ものを考えているフィクショナルな磁場というのは、この本は明らかにここにいてはまずい本だとわかっている、わざと移さないわけじゃないんだけれども、カフカ風にいうと、私は門番で、おまえをここから移すだけの力はないみたいなことをいって、いつまでも移さない。何かズルをしているわけでもないし、わざとやっているのでもない。これは間違いです、分類を訂正しますということで、パーッと速やかにやってしまってはいけないんじゃないかという、これは全く隠喩的な一つのエピソードのレベルで話しているのですけれども。それを移されると、非常にわかりやすい、めでたい結末みたいになってしまう。

最近集中的に読んでいる人の話にどうしてもなってしまうんだけれども、キルケゴールという人が「死に至る病」の中で特異な誤植の話をしている。校正をして、間違えた字を我々は直すわけですけれども、最後まで居座って、よくよく見たのに、何でこんな間違った字が最後まで居座ったのかと思われるような誤字。誤字というか、たしか逆さまになった字というふうに使っているんだけれども、その逆さまになった字のように、私は著者であるおまえを、おまえがヘボ著作家であることの証人として、絶対に最後までここを動かないということを、キルケゴールは「死に至る病」のある箇所——前編と後編とのボーダーのところで、一つの比喩として使っているのですね。

多和田　誤植は、心理学的に見れば無意識が踊り出すということになるのかもしれないけれど、アニミズム的に言えば文字が目を覚まして、勝手に言いたいことをしゃべり出すということかもしれませんね。わたしもドイツで去年出した本に「バオムガイスター」(樹木の精霊)という単語が出てくるんですが、ゲラを読んでいたら、それが誤植で「バオマイスター」(建築師)になっている。十一字のうち、たった一字落ちているだけなんです。それがまた、内容とも関係あるんで、びっくりしました。樹木を切って建築物が作られたからには、腹をたてているに違いない樹木の精霊の怒りを静めるためにどうにかしなければいけない云々という話なんですけれど、その精霊と建築師が、誤植という形で、活字のレベルで、また争い始めたので、わたしは驚いたわけです。

声と私的なもの

室井　声を出して読むということは、どうでしょうかね、僕はとても好きなんです。今でも、僕は読めもしないのに、アルゼンチンの出版社から出た、ぶ厚い、開くと壊れそうな、広辞苑みたいなスペイン語の一巻本のボルヘス全集を、時折取り出して、経典みたいにぶつぶつ音読する。スペイン語ではもう一点、僕のバイブルといってもいい、セルバンテスの作物もあります。

経典というのは、意味がわからなくてもいいわけなんですね。ただ、音読はできるだけ原音に近いというか、一応原音で読みたい、僕はそのことだけ念じて、それに必要なレッスンはやったのですね。

以前に、多和田さんからいただいた詩集なども、こうした音読の対象になって久しい。あれは対訳ですからね。僕は対訳というのが大好きで、この話をするとまた長くなってしまうんだけれども、僕はいつも世界文学にかかわる研究者や出版社などに、特にその国を代表する詩作品を対訳で出してほしいと熱心に頼んで、あきれられている。そんなもの、あんたの書くものと同じで需要がないじゃないかといわれれば、返す言葉もないんだけど、多和田さんの詩集の「使用説明書」の、「めくり続けるうちに本そのものがひとつの穴になってしまう本当の対訳詩集を夢みながら……」という名セリフをかりれば、僕は音読によって日々、そういう穴ぼこを幻視したいと願う。僕はドイツ語なんかも一応音で読む。意味がわからないのに、音で読んだって何にもならないのですけれども、でもおさえがたい欲望がありますね。音で、毎朝十分なら十分。例えば魯迅の「阿Q正伝」なんて、僕、好きで、あれも経文として読んでいるのですよ。経文としては百回以上読んでいます。

多和田　図書館員の音読というのは意外でしたね。室井さんの小説に「ロシア字日記」というのが出てきたじゃないですか。あれも、ロシア語の文字を使って書くけれども、ロシア語で書くのではない、というところが印象的でした。そのせいか、室井さんは、文字にこだわって、音読はないのかと思った。でも、さっきの「なまはげ」なんかも、音読しないと、文字だけの世界では現れないのかもしれない。

わたしも、ドイツで朗読会がよくあるのですが、日本語で読むと、聞き手が意味が分からずに聞いているのがひしひしと感じられて、自分もそのうち意味が分からなくなって、音だけで読んでいくことがありますよ。それがとても気持ちいい。

だから、その場合、言葉、特に声だから、声は自分の中から、人間の口から出ているように思っているけれども、実際は声というのはどこにあるのかわからないもので、体の中にあるわけじゃない。聞いている人の耳の鼓膜が震えているから、そこに声があるんだともいえるかもしれないけれども、でも鼓膜が震えているだけでは声になってないから、聞いている人の頭の中にしかないのかなと思いつつも、空気が震えているから、物質的にここに声がある。声ほど、本当に私の中から出てきているんだという感じのするものはない一方、全くその逆で、声ほど私に属してないものはないわけですね。外で勝手に空気が震えているだけなんだから。この声の不思議な感じというのは。

室井　お寺のお坊さんが法華経とかいろんな経文を読む。今も実践的な葬式の場とかで読んでいる。あれを今お坊さんは何といったのですかなんて一々質問する人は、多分いないのですね。いないし、またあれは意味がわからないからありがたいものである部分もあるのですが、でもあれを音読するということは、妙な言い方ですけれども、文字の体を拝んで、絶えずそれを見ることなんですね。

音読するには文字を見詰めなければいけない。そうすると、必然的にその文字の、単なる記号としての文字の背後にひそんでいる、先ほどのわけのわからない魔物、憑き物が、音読したボイスに乗ってくるというふうに思える。顕現するためには、依りしろというものが必要なんです。

それが僕の場合、音読する行為につながる。声は消えてしまうんだけれども、一定時間フワッと浮遊して消えていくというのが、考えてみると本当に不思議な言葉の特性で、音読して次々に消えていってしまうんだけれども、それでも文字を凝視して、音読する前と音読した後は全く変わらない、どこへともなく行っちゃうんだけれども、でもそこに一瞬でも言霊を呼び出しているという妄想が接続法的に成立する。

多和田　そうか。わかりましたよ。

鳥の言葉について

室井　多和田さんとお話しできるというので、とても楽しみにしていたんですけど、実は今のめっている仕事の関係で特に十九世紀ドイツ語文学をめぐって、些細なことも含めいろいろふり積もった疑問点等、ご教示願えたらという不純な動機（笑）も抱えてきたんです。ドイツ語で何というのかわかりませんけれども、普通にみんなが口にする、有名な、人口に膾炙する言葉を、英語なんかで「ウィングド・ワーズ」＝「翼のついた言葉」というんだそうですね。その翼のついた言葉というのは、ちょっと調べたら、『イリアス』『オデュッセイア』の中で、実に百回近く使われているんだそうですよ。

みんながよく知っている有名な名せりふみたいな意味ではない次元で使いたいと、これも調べている人の関係上出てきたんですけれども、何かちょっと印象に残りましてね。鳥のように、今僕が語っている肉声もそうなんですが、これはたまたま記録してくれるありがたい器具があるのですけれども、普通は肉声というのはたちまち消えてなくなってしまう。ヴォイスの身体性、肉体性みたいなものを一瞬でもいいから感じていることに、何か喜びのようなものがある。僕が音読にこだわるのも、ヴォイスによって「もの」を供養したい心からです。

「翼を持った言葉」というのは、単なる言葉で、理性でもあると同時に、それを超えた魔物、憑き物、できものみたいな、それをはらんだ言葉が、僕個人の解釈としては、「翼を持った言葉」、つまり翼を持っているかのように、いろんな人がしゃべり、行ったり来たりしながらも、いつかどこかに消えちゃって、鳥のように去っていってしまうみたいなイメージを勝手に持ったわけなんです。

そういう表現というのは、ドイツ語では、例えば引用語の辞典なんていうときのそういうのって、余り耳にされたことはないですか。

多和田　あまりないです。スピーチなどで使えるように諺なんか集めた本があるじゃないですか。そういう本の題名でありそうですね。

翼と言葉と言えば、わたしは最近、鳥の言葉というものに、関心があって、調べているんです。たとえばシベリアのシャーマニズムでは、未来を読むことができるようにシャーマンが動物の言葉を習う、その動物の言葉というのが、鳥の言葉であることが多いそうです。鳥の言葉が分かるようになるためには、蛇やそれに類するものを殺してその肉を食べなければいけない。だから、蛇には感謝するわけです。鳥の言葉を聞くというのは、ドイツ・ロマン派にも時々出てくるモチーフで、ティークやホフマンを読んでいるうちに気になりだしたんですけれど。ワーグナーにもありますね。ジークフリートが大蛇みたいなヴルムを殺して、その血を飲んでから、鳥の言葉が分かるようになって、そのおかげで命拾いするというのが。ただ、ジークフリートがシベリアのシャーマンと比べて駄目なところは、自分が鳥の言葉が分かるようになったのは大蛇のおかげだ、ということを忘れてしまって、全く感謝していない点です。そのせいで単なる大蛇殺しの英雄になってしまっている。そういうところが、嫌ですね。それから、この間、孔子について読んでいたら、孔子の娘と結婚した公冶長という人も、鳥の言葉が理解できたそうです。そのために、何か殺人事件が起きたときに、死体のありかを鳥たちのしゃべっている話から知ってしまって、そのために殺人犯の疑いをかけられたという話が残っているそうです。いったいこの鳥の言葉というのはどのように捉えたらいいのか、今とても気になっているんです。

二つある穴の中身

室井　ところで、多和田さんの小説で僕の印象に奇妙に残っている「もの」があるんですが、口が二つあるやかんというのが出てきましたよね。

多和田　ライプチヒの話で、東ベルリンと西ベルリンの間を行く電車で、その電車の中に飲みですよ。物を売る人が来て、片方からはスグリのジュースが出て、もう一方からはコカコーラが出るのですよ。

室井　そうでした。それは、先ほどの韓国出身の画家の思い描いたようなもの……。

多和田　それが怖い話があるのですよ。その話を私はリューベックの朗読会で読んだ後で、主催した人と一緒にレストランに行って食事をしていて、ふっと見たら、私たちのテーブルの隣に口が二つあるやかんの写真が飾ってあったのです（笑）。

室井　それは実在ですか。

多和田　あるんですって。私はもちろん知らなかったのですよ。中近東のものでした。

室井　作品の中では空想して書いたものなんでしょう？

多和田　そうですよ。

室井　あれを読んでからしばらくして、神道式でおこなわれた知人の結婚式に出た折、なんと、口が二つあるやかんに出くわしてびっくりしたことがあるんです。三々九度のときに、ご両人に等分に酒をつぐのにふさわしい器ということかなんて考えながら、ああそうか、と思ったのですが……。多和田さんの作品に出てくる、口が二つあるやかんというのは確かにあるんだ、これは現実にあるんだというので、なんだか奇妙な笑いがこみあげてきたことがあるのです。

事実談義はともかくとして、出口が二つあるようなというその比喩自体が、きょうの話のテーマといっていいかどうかわかりませんけれども、ものの二義性というのですか、全く性質の違うもの、そのものたちはブラックボックスみたいな中に閉じ込められていて、何であるかもよくわからないんだけれども、でも何かの拍子に片方の出口から出てくる。だけれども、もう一方の出口からは全然別のものが出てくるようなもの、そういう魔術的なものが言葉の世界にもあってほしい……。対訳的なもののボーダーにひらけた穴ぼこなんかも出口が二つあるやかんの典型ですね。

多和田さんはずいぶん早くから小説を書いておられたそうですから、この二重構造の穴ぼこに潜み隠れる修練を学校時代から積んでいたということになりますよね。

多和田　修行というような大変なことはしていませんよ。子供の頃から、ずっと休みなく何か書いてきたという感じですが、書いている内容や、言葉の魔術とのつきあい方は、その時その時で随分変わってきています。今、あえて小説と言わずに書くことと言ったのは、普通考えられているいわゆる小説というものにこだわる気持ちがないからです。これは、あたり前のことだけれど、小説というものがあって、それを書くのだとは思わない。

室井　僕は三十歳近くになってようよう小説を書きはじめたような人間なんです。そういう奴のことを僕の村では「遅ん坊（おくぼう）」と呼ぶんですけど……（笑）。学校を出るのに人の倍近くかかった「遅ん坊」が、授業科目のたとえをするのも妙だけど、僕はもの書きとして今でも「文学総合」なるジャンルを専攻してるという意識があります。大学なんかでよくそういうアイマイな講座名があったじゃないですか。で、これには選択必修（笑）として「演習」科目がある。

僕の場合、小説は詩とか批評とかと同じで、その科目の一つとして課してきましたが、そのいずれも不得意科目のまま現在に至っている。にもかかわらず「文学総合」というサブジェクトになると得意科目のような妄想に囚われるのはどうしてなんでしょう。……不得意科目の克服を念じ、十年くらい悪戦した詩をめぐって卒業制作といった感じのシロモノを七年がかりの批評ともども非在の学校に提出したのもついこの間という「遅ん坊」ぶりなんです。

あまりに抽象的な問いかもしれませんが、今現在の視点で、二つの口の付いたやかん、あるいは二種の「翼の付いた言葉」といってもいい、文学を構成する古くて新しい問題——詩と散文とを対比的にみた場合、どんなふうなことをお思いでしょうか。

多和田　これは考えれば考えるほど分からなくなる問題ですね。わたしには気になる詩の種類というのがふたつあるんです。ひとつはパウル・ツェランで、これは言葉で織りなされた重層構造とでもいうのでしょうか、後の時代に現れてくる様々な思想を先取りしてしまう網のようなテキストとしての詩です。

もうひとつは、歌うということですね。これは、実際にメロディーを歌うのでなくて、むしろ内容的なことですが。去年、ハンブルグにいらした白石かずこさんの朗読を聞いていて、歌うというのは、声で事物を呼び覚まし霊を呼ぶことかもしれないと思いました。体と言葉という、いつも切り離されているものが、ひとつになるという不可能なことを演出するのが、歌うことかもしれません。そういう意味での詩的なものは、いわゆる散文の中にも必ずなければいけないものじゃないかと思うのです。ドイツでは、詩と散文を対比して質問されることはあまりないですね。その代わり、学術論文的なものと文学的なものの境界線はあるのか、あるとしたらそれはどこに引かれるのか、という問いをよく耳にします。これも難しい問題ですね。たとえば、去年読んだものでは、松浦寿輝さんの『折口信夫論』ほど詩的なものを感じさせてくれた本はなかった。だから、これは論文で、あれは詩とかいう分け方は、読者としてはどうでもいいという感じです。わたしは基本的には、ジャンルというものは必要ないと思っていますが、でも、敢えて、垣根を想定することで、書くこと、読むことの立体性が生まれるのなら、それもいいかもしれませんね。

室井　これはボルヘス詩集の序文にある言葉なんですが、言葉というのは波のように我々に押し寄せてきて、例えば一杯お酒を飲みなさいよみたいにいう、こういう通常のコミュニケーションの意味が全くないわけはもちろんないのですけれども、しかし彼はもう一つの力を挙げている。ボルヘスはそのことをいうためにウェルギリウスを引用していて、詩人がつかさどる言葉の魂とは何かということのたとえとして、「ものが流す涙」だというのですね。

　僕は、ボルヘスが晩年になってから出した詩集なんかすごく好きなんですけれども、ものが流した涙、あるいは何と訳していいのかよくわかりませんけれども、うるしみたいにものににじみ出てくる、樹木からにじみ出てくる、樹液にも似たようなもの。

　言葉というのは、もちろんコミュニケーションが全くない言葉なんていうのは意味をなさないんだけれども、ものをやりとりするようにコミュニケーションするための道具であると同時に、もう一つの何かものが流す涙のようでもあるというのは、僕はすごく印象的で、こういうことが既にウェルギリウスのような時代にいわれているということ自体に驚かされる。もう全部やられているなという印象を強くしたのですね。

どんな前衛的といわれる立場からみても、実際のコミュニケーションをしなくてもいいんだということは成立しないと思うのです。

しかし、確かにそれは半分認めた上で、もう一つの方の、ものが涙を流す世界に心を寄せる。二つあって、片方だけが優勢になり過ぎちゃったときに、僕らは今でもものが流す涙の方を愛惜して擁護するというか、そっちの方を何とかしなきゃいけないという感じが常にある。

多和田さんのものなんか読んでも、僕はおかしくて笑うんだけれども、でもあえかににじむものがあるのですね。

これは乱暴ないい方ですが、多和田作品のキャラクターたちはおおむね、「あれえ！」とか（笑）一応お姫様っぽい悲鳴をあげながらも、モノノケに拉致されることをどこかで期待しているようなおもむきがありますね。センチメンタルなもののあわれではなく、ものがあっぱれになる地平で「ものにされたい」というふうな……。

多和田　霊がのりうつるように仕掛けて、誘って、待っているんですね。湿っぽいところはありません。狂気にもあまり関心ありません。精神病はガイステステス・クランクハイトですが、わたしのはそうではなくて、ガイスター・クランクハイトです。ものに憑かれる病気、きつねつきです。きつねに憑かれるような状態になるときというのは、いろいろあるなあと思って、「大航海」という雑誌の「きつね月」の連載も始めたのですが、月を見ている時、ひとり台所にすわってビンなど観察している時、外国語の詩を翻訳している時、藪をかきわけて歩いていく時、アウトバーンを走っている時、楽器を演奏している時、本の音読をしている時など、とにかく数え始めたらきりがないでしょう。実はそういうことをしながら、憑き物状態になるのを待っているんです。

「長い暇（ラングバイル）」の必要性

室井　朗読会のときにわからないことを前提に故意に日本語でやるとか、あるいは時には日本語で読んでくれと向こうから、頼まれることなんかありますか。

多和田　頼まれることもありますけれども、でも最初に日本語で読むと、とにかくみんな耳をそばだてて聞くわけですね。そのときに聞く態度が決まっちゃう。聴衆が、解釈するよりも、とにかく一生懸命聞くという態度になるわけですね。そういう意味ではトリックでもある。それでドイツ語を読むと、それを文学としてというか、詩的言語として聴衆が受け入れやすくなるわけですよ。

これはドイツ人でも日本人でも同じでしょうが、詩や小説に接して、すぐに理解できないと、難しいとかアバンギャルドだとか思って、拒否してしまう人が結構多いんです。まだ出会ったことのないものや違和感のあるものを全く受け入れないで、すぐに扉を閉めてしまうというんでしょうか。でも、日本語なら分からなくて当然だから、初めに日本語が聞こえてくると、警戒心なしに耳が開いていく。実はわたし自身が母国語をそんな風に受け入れたいと思っているようなところもあります。全く意味の分からない言葉として。

あと、私自身にとっては、日本語で読むと、何か声がやってくるというか、そういう感じがするのですね。声を出していても、声が出てない感じがするときがあるじゃないですか。まず声を呼んで、それから読むという感じもあります。

日本語をしゃべるのは、余りしゃべってないからうまくしゃべれなくなってきたかもしれないけれども、読む場合の日本語のリズムは、今でも呼吸のリズムにより合っているというのかな。だから、声が出てくるというか、本当に出てくるという感じがするのです。

室井　日本語を読む場合は、隠れているみたいな感覚はありますか。隠れているというのも妙ですけれども。日本語がわからないドイツ人が聞いているときには、それを発している間、隠れているという感覚にはなりませんか。

多和田　それもできますね。でも、異国でその国の言葉をしゃべるというのは、隠れていると同時に裸になってしまうような感じです。両方同時です。意味の分からない、音そのもの、文字そのものに接触してしまうことがあるから、隠れようがないわけです。

室井　その部分の意味は、最後まで明かさないのですね。日本語で読んだ部分は、日本語として、異物として置いたままにしてしまう。

多和田　両方あります。明かす場合もあるし、明かさない場合もある。でも、明かしても、その二つが同じ内容だとはどうしても信じられないというふうにもなります。全くつながりがないような感じがして。

室井　日本語による書き物と、ドイツ語による作業というのは比率として今現在どうなんですか？　これは小説でなくてもいいですけれども。

多和田　書いたものの量は日本語の方がずっと多いでしょうが、書いている時間や書くことに費やしたエネルギーの量はドイツ語の方が多いと思います。

室井　それはどういうことですか。

多和田　ドイツ語の方は、やはり書く速度が遅いのです。

室井　発表するまでに、かなり時間がかかるということ……。

多和田　完成するまでに時間がかかるということですね。ドイツ語では、長いものは書きませんが。ドイツでは七冊ほど本が出ていますが、薄いものばかりです。

室井　そうすると、でき上がったものに対する感触も、ドイツ語のものの方が喜びは大きいですか。

多和田　喜びとか現実感はありますね。だって、自分で書いていて、その書いている内容について、友達といつもしゃべっているわけだし、書き上がったら朗読会ですぐ読むわけだし。

室井　雑誌に発表する前に?

多和田　前でも読むのです。朗読会は未発表でも発表したのでも、どっちでもいいのです。一番新しいのは読んでみたいじゃないですか。読んで、それについて話したり。

室井　朗読会に対する批評みたいなものもあるのですか。

多和田　ありますよ。新聞記事が出ることがあります。書評はドイツの方がたくさん出ますね。でもドイツ語で書くということの意味はあと五十年くらいしないと、見えてこないかもしれません。これは、実験です。

日本にはあまり帰らないし、日本という国は本当にあるのかなんて思うことさえありますね。日本語という言葉そのものは確かに実感があってそこにあるんだけれど、日本という国の方はフィクションのように思えてきたりして。

室井　その点はでも、僕も同じだな。僕の場合、国内亡命者みたいに生き生きとつながりのある世界の方もないから、ただ死んでるだけの状態ですけど(笑)、それはともかく今時間がかかるという言葉が出たので、またそこでちょっと例によって日ごろ考えていることにどうしてもつなげちゃうんだけれども、僕は読み手としても、書く側の問題としても、第一次的な誤訳的言葉をあえて使えば、「退屈な」作品にならざるを得ないと、まずそういっておいて、「退屈な」と仮に日本語で訳したときに、実は「退屈な」の原語はXである。そのXをドイツ語なんかでさがしてみると、文字どおり「長い暇」、ラングバイリッヒとか、ラングバイルとかいう言葉があるときいたことがあります。妙ちきりんなものいいですが、そのラングバイリッヒを「退屈な」と和訳して間違いではないとしても、日本語的な「退屈な」という意味一辺倒じゃない、我々がためらったり戸惑ったりしていると、たちまちのうちに時間がたつし、ましていろんな出口を持っていたりすれば、出ているうちに意味が変わってしまったりすることだってある、そういう世界を理解するのに字義通りの「長い暇（ラングバイル）」が必要になってくる。言葉自体が七色に変わったりというふうに多義的な磁場に置かれてあったりもするわけです。別に苦労してまで解読したくない、そんなものを読みたくないという読者の感想もわかるんだけれども……。笑いと、それから哀しみと両方にじみ出るやかんみたいなものを、そんなものは日常生活の中で使っていられない、不便でしようがないとかいう人もあるだろうけれども、真に詩的な言葉に相渉るためには、それだけの長い時間逡巡したりする、むしろそこで戸惑ったりためらったりしていることが、読むことの快楽に本当はつながっているんじゃないかなという気がするのですね。

多和田　そうですね。私も読んでいておもしろいのは、ストーリーに引き込まれて、どんどん速度が速くなっていく作品よりも、今読んでいる、その文章にとどまっていたいような感じが一つ一つの文章でするような、そういう小説の方が好きですね。

室井　「退屈な」というふうに訳さないで、長い時間、手間暇かけているという原義を持ったヨーロッパ語も、我が国の古語で「なつかしい」というふうに訳して、強引にイコールで結んじゃったりすることの方が、何か読みの世界としてはすわりがいい。図書館員としての非常に熱いでたらめな意味合いでこういうことをいうのですけれども（笑）。

最後に、多和田さんが受賞されたシャミッソー賞をめぐって素朴なことをお尋ねしておきます。僕は不勉強で後から知ったんだけれども、シャミッソーという人は有名な『影をなくした男』を書いています。多和田さんの最初の、『かかとを失くして』に関してなんですが、タイトル自体が符合していることに後で気づいた。『かかとを失くして』という作品がドイツ語訳されて選考の対象になったみたいなことはあるのですか。それはないでしょう？

多和田　ないです。シャミッソー賞の対象は、ドイツ語で書いた作品でなきゃだめなんです。

室井　そうですよね。でも、何となく……。

多和田　確かに似ていますね。私も今思った。

室井　シャミッソーという作家は名前からも察せられるようにフランス人で、十五くらいになってからドイツ語を本格的に学んだ。それはとてつもないことだなと僕は思ったのですね。十五で学び始めて、それであれだけもの仕事をなしえた。多和田さんは年齢的にはそれより若干おくれてから行ったとはいっても、『かかとを失くして』と『影をなくした男』というのは……。

多和田　似ていますね。私も気がつかなかった。

室井　だから、僕は一瞬それがドイツ語訳されて、これは本当にシャミッソーの衣鉢を継ぐ文学だというふうになったのかと思ったくらいなんですよ。あの『影をなくした男』の影は一体何に相当するかというのも、いろんな説があるそうなんだけれども、ごく常識的な受け取り方では、国籍喪失のシンボルみたいにとることが多いんだそうです。

『かかとを失くして』のときに、そんなシャミッソー的影をなくした男みたいなことが、直接的にイメージとしてあったわけではないのですね。

多和田　全然ないです。英語で小説を書く外国人作家というのはイギリスやアメリカでは珍しくないでしょうが、ドイツでもかなり普通になってきました。シンポジウムなどがあると、イスラム圏や東欧からの亡命作家に出会うことがすごく多いですね。亡命と言えば、ドイツからアメリカに逃れたフォイヒトヴァンガーというユダヤ系の作家がいたんですが、ロサンジェルスのサンタモニカにあるこの人の大邸宅は一九四〇年代半ばから五〇年代まで、亡命者の集まる場所になっていたんです。トーマス・マンやブレヒト、シェーンベルク、アインシュタイン、マルクーゼなんかがよく通っていたそうですが、フォイヒトヴァンガーが亡くなって、それからずっと使われていなかったのかな。それが二年くらい前から、芸術家の家のようなものとして使われるようになって、わたしも招待されたので、八月から二ヵ月ほど行くことになりました。ドイツには作家向けのこの手の滞在奨学金はいろいろあって、それは、新しい土地で新しいインスピレーションを得てほしいという意図もあるでしょうし、家族のいる人は家族から解放されて、ひとりゆっくり仕事してください、という意図もあるでしょう。もちろん、アメリカとヨーロッパの文化交流ということもあります。このロサンジェルスの邸宅は大きいので、一度に三人から五人くらい滞在できるようで、招待されるのは、作家だけではなく、画家や映画監督などいろいろです。と言うわけで、わたしは、もう飛行機に乗る直前のような落ち着かない気分になっているんですけれど。先日、松永美穂さんがリービ英雄さんのエッセイのコピーを送ってくださったんですが、そこに、明るい中間地帯としてのカリフォルニアの季節感も束縛感もない空の話が書いてあったんですけれど、そのエッセイの結びの言葉に、「誰しも一週間のカリフォルニア体験は必要だし、誰しも一週間くらいでちょうど良いだろう。」なんて書いてあったので、これはまずいなと思いました。二ヵ月も行っていたら、わたしは北ヨーロッパの空が懐かしくなって仕事にならないのではないかと実は心配しているんです。室井さんは、この夏の御予定は？　次のお仕事は何ですか？

室井　僕はこれから学生の頃から思いを寄せてきたデンマークの地べたを歩いて空気を吸った後、井戸にもどったら、「長い暇」をもらって小説とも評論とも学術論文ともいえない「文学総合」科目に類するフィールドワークに精を出す予定です。二十年来の懸案で一〜二年のうちにケリがつけられたらいいなと思ってます。

（ハンブルグ、ホテルベルヴューにて）

言葉そのものがつくる世界 ● 2017.4.19

手で書く

多和田　今日は遠いところ、ありがとうございます。室井さんとは、縄文土器が落ちているような場所で会うことが多かったですが、ここ（国立）は、私が小学校一年生から大学四年まで過ごした町です。

室井　今日は、南武線できました。『言葉と歩く日記』（岩波新書）という、四年前（二〇一三年）に出た多和田さんの本がありますが、この本は、ある年の元日から四月くらいまでの間の、実際の日記とは別に自分を観察するという形で書かれたものです。

今日は、ぼくが以前から興味を持っている言語についてのテーマにからめて、翻訳し直して話してみたい。マスコミで語られているような言葉ではなくてね。硬い言い方だけど、ぼくの中では多和田さんは詩的言語と歩いている類いまれな人だと思います。

言葉について、これまでリマーカブルなエッセイを書いている世界文学の名だたる書き手はたくさんいますけど、現代思想とか、詩的言語とは何かみたいなことを言うとどうしても難解になる。でも多和田さんのこの文章は、日記だから当然と言えば当然だけど、平明な日本語で深い内容が書かれている。

多和田さんは小学校高学年から日記を書かれていて、それをいまも続けているそうですね。二重帳簿という言い方をしているけど、この本と別にその日記も手書きでつけていると書かれています。ぼくは自分のことを最後の手書き派だと思っていて（笑）、手仕事としての字を書くっていう原始的な行為に最後までへばりついていこうと思っているんですけど。

多和田　本当の日記も手書きだし、この本も手書きです。普段、小説とか詩の原稿はコンピュータで書いていますけど、朝、小説を書いて、それとはまったく違う気分で別のものを毎日書こうということで、このとき手書きで、言葉について考えたことを記録していったんです。

室井　一九八七年から多和田さんのドイツ語の作品はある出版社からずっと出してもらっていると書かれている。思わず笑ってしまうんだけど、その出版社の名前がコンクルスブーフ、「破産書籍出版社」っていう。日本でもこういうムードの出版社があるといいですね。それから三十年間、ドイツ語の作品をここから発表し続けている。

この出版社から出た本をぼくも持っています。ドイツ語は読めませんから読みこなせないんですが。英語版の「Voices from everywhere」という、多和田さんの特集があって、いろんな執筆者、日本の研究者も入っていますが、これに序言を寄せておられる方が、多和田さんはボルヘスと同じくジャンルを横断する注目すべき書き手であり続けていると書かれている。

多和田　当時ドイツで流行っていた左翼インテリの雑誌が「Kursbuch」という名前だったので、それとちょっと違った、フランスのポストモダンを紹介する雑誌を出そうということで、「konkursbuch」という名前の雑誌を二人の大学生がつくったのがこの出版社の始まりです。一九七八年ですね。「Kurs」は英語の「コース」に当たり、方向とか進路のことですが、その頭に「kon」が付いただけで「破産」になってしまうんですから不思議ですね。

室井さんも自分で雑誌をつくって文学学校みたいな形で若い人を育てているんですよね。

室井　『雪の練習生』っていう多和田さんの傑作があって、ぼくは「練習」っていう言葉が好きなんですけど。若いときにみんな、同人雑誌とかやりますよね。ぼくはそういうことを何もしてこなかった。東日本大震災もあって、いろんなことにすっかり嫌気がさして、その後で何をするかというときに、日記やノート類を手書きして、小学生みたいな字を書く喜びを取り戻したり。それと、数少ない、付き合いのある人たちと手づくりで、雑誌みたいなものを一回だけでもやってから死のうかなと思って。三号雑誌でもいいと思っていたんですけど、八号まで続いて、一年後に九号を出す予定です。ぼくは本当に遅れることが好きでね（笑）。

多和田　その遅れ方が変わっていますよね。同人誌をやっていても一度デビューしたら、もう同人誌はやりませんよね。

室井　昔の言い方で「比叡山を下りる」って言うけど、山を下りて終わりたい、チャラにしたいという見果てぬ夢があって。三十代くらいまで一生懸命やって、山をのぼりますよね。ぼくなんかでもいろいろ助けてくれる人がいて、大学の専任スタッフにまでしていただいた。震災は口実にすぎないけど、前からきっかけを求めていたところがあって、一気に山を下りるときがきたという感じです。

多和田　私も含めて、みんな山をのぼり続けて、自分は絶対死なないつもりでがんばっていますけど、ちょっと変ですよね、あり得ないし。日本ももうかなり前から経済危機とかにはおちいっていましたが、震災が起こるまでは、基本的には今まで通りでいいんだ、ただ偶然今は景気が悪いだけなんだ、という雰囲気だったのではないでしょうか。震災で、これまでのやり方は根本的におかしかったんじゃないかという意見にも耳を傾ける人たちが増えてきた。文学にとってはチャンスでもあり、逆にむずかしい時期でもあるかもしれません。

室井　いわゆる復興特需ってありますよね。あなたも福島の人間だから、助け合いの絆、みたいなことを言えば、桁外れの数字の発信が可能になる、などと言われる。でも、そっちのほうには行けないので、ただ個人的に静かに下ります、と。

カフカ「変身」をめぐって

室井　正確ではないけど、この本でも自分を翻訳者的な場所に追い詰めて文学を考えるようにしているという文が出てきます。その後、カフカを多和田葉子が編んで、「変身」を訳すということ（『カフカ』集英社文庫ヘリテージシリーズ）、ぼくにとっては事件としか言いようがないことが起こった。これはぼくが多和田さんと知り合ったばかりの頃からいつかやってもらえたらいいなと思っていたことです。カフカのことがいまの話と繋がるんだけど、多和田さんは「変身」に「かわりみ」ってルビをふっている。これは何かこだわりがあったのでしょうか。

多和田　ありましたよ。「身代わり」と「変わり身」という言葉は似ていますよね。グレゴール・ザムザは、両親の借金を返すために働かなければならない。朝起きるのも辛いし、会社にはひどい扱いを受けるし、仕事が忙しすぎて恋人もできない。両親の身代わりになって自分の人生を犠牲にしている。だから、どうにかして仕事をやめる方法はないかと無意識にいつも探しているんですね。するとある朝、別のものに変身している。虫とか害虫とか訳されることが多いんですが、原文ドイツ語の「ウンゲツィーファー（Ungeziefer）」という言葉には、穢れていて生け贄にできない動物っていう元の意味があると知ったときに、これだ、と思いました。彼は自分が穢れた虫になることで、両親の生け贄になる運命を免れたのではないでしょうか。身代わりにならないように、変わり身をする。

室井　「身代わり」と「変わり身」、なるほど。

いくつか訳されている中でも、「父の気がかり」っていう、とても有名な作品があります。

ドイツ語の、虫とも動物ともつかない「オドラデク」っていう生き物が出てくる、チャーミングな、謎の多い作品です。逐語訳的にはお父さんの気がかりだ思う。だけどこれを「お父さんは心配なんだよ」と訳したのは画期的だなと思って（笑）。「父の気がかり」と言うといかにもまじめな感じがするけど、それを「お父さんは心配なんだよ」と訳すと、アンデルセンのお話「父さんのやることはいつもよし」みたいに民話的にそこで開かれていく何かがありますね。

多和田　語り手は家にすみついているオドラデクを、我が子を見るように見守っています。語り手には自分の子どもが複数いるようだけれどもその子たちと違って、オドラデクは後継者ではありえないし、何の役にも立たないのに。そのまなざしがあたたかい。自分が死んでしまったら、オドラデクはどうなるんだろうという気持ちが強いようです。カフカの文学は無機質だというイメージが広がっていますが、けっこう体温が高い。翻訳ではそのへんも伝えたかったんです。グレゴール・ザムザも息子失格という点でオドラデクと共通点がありますね。父親から息子へと続く系譜の外にはみだしてしまっている。

室井　「ウンゲツィーファー」も、毒虫という言い方で流通している言葉だけど、ぼくの感覚では虫じゃなくて駆除されるべき小動物みたいなものかと。

多和田　今のドイツ語の使い方では害虫だけど、本来は、ねずみなどの哺乳類もさします。

室井　訳語として虫を使わないでそのまま「ウンゲツィーファー」って表記したのは、おそらくはじめてだろうと思う。「生け贄にできないほど汚（けが）れた動物或いは虫」と括弧で注記されていて。「オドラデク」と同じで、これは「ウンゲツィーファー」としか言いようのないものに化けたんでしょうね。

多和田　ジュースも全くの液体状のものより、中に果肉の残っているものの方が好きです。だから、訳してない単語が翻訳の中に混ざっているのもいいかなと思って。それから、日本語の「虫」という言葉には私なりのこだわりがあって、それがどうも私のこの小説の読み方からすると、合わない。「虫のしらせ」とか、「虫が好かない」とか言いますよね。意識に対して、無意識を意味しているのが「虫」だという気がするんです。日本語のこういう虫は、体内に住んでいます。「虫」という日本語の語感はやさしくて、どこか可愛らしい。たとえ大きな虫でも、「おじゃま虫」とか「本の虫」とか、どこか可愛い。でも「ウンゲツィーファー」の可愛らしさ度はゼロです。

「変身」はたくさんの訳があるので、たくさんの演出家がひとつの戯曲を演出したみたいな状況になっています。読む人もひとつの訳で満足しないで、いくつもの訳を読んでほしい。そうするうちに原文も読んでみたくなるんじゃないかな。「ハムレット」をある人の演出で一度観たから、他の人の演出は一生絶対に観ない、という人はいないと思うんです。

室井　カフカは、昔から若い人に人気ですけど、アニメとかのイメージで接続しやすいらしい。多和田さんが解説で「映像的だ」って書かれていて、それは確かにそうなんだけど、ここで多和田さんは「言語だけに可能なやり方で映像的なんだ」って念を押されていますよね。

多和田　そうなんですよ。私が映像的というのは読む度に新しい映像をよびおこす力があるということです。よびおこされる映像は読む度に毎回違っていて、しかも写真に撮ることができない。それは映像ではない映像なんです。

室井　ウルトラマンとかの変身のイメージではなくて、言葉による変身をきちっと書いているというところをいまの若い人にも読んでほしいですね。紙の本の時代からスマホ時代に入って、ぼくみたいな旧時代人には取り付く島もない社会になってしまっていますけど、やっぱりカフカは言語の人で、そのことを強調してもらったところが心強い。

詩的言語とは

室井　ぼくの知る限りでは、カフカが書いた詩が、全集の中に何篇か、川村二郎さんの訳で入っている。何十年も前に出た新潮社の全集で繰り返し読んでいるんですが、これはどう考えても詩だな、と思って。カフカはいわゆる詩人ではないけど、詩的言語を操った究極の文人という意味では筆頭にいる人物なので、多和田さんがカフカを編んで、「変身」を訳されたということはもっと多くの人に広く知ってほしいと思いました。

『言葉と歩く日記』のプロローグに、大晦日から正月にかけてやったことがその一年を支配する、という一種の迷信があって自分はそれを信じている、そのためにパーティーから抜け出して、廊下の暗いところに座って詩を書いた、と。そうすれば、今年が詩的生産の年になるんじゃないかという話からはじまっている。

その後すぐに「外国語がどれだけ理解できたのかを測定するのは最終的には無理なのかもしれない。詩がどれだけ理解できたかを測定できないのと同じだ」という文がある。これはまさにぼくが考える詩的言語の正体に肉薄している言葉です。外国語をものにできなかったぼくが言うのも変ですが、文学は外国語的なものとたえず接していなければ詩的にダメになってしまうという強迫観念のようなものがあって。多和田さんは、散文のほうが忙しいからだんだん離れてしまうかなと思いきや、また詩を書くと宣言されているのでファンとしてはうれしかった。

多和田　日記を書いていた期間、実際にしていたことは、自分が書いた小説『雪の練習生』をドイツ語に訳すという、そういう意味での翻訳でした。

その後、カフカの翻訳をはさんで、いまは「ユリイカ」に詩の連載をしています。お正月に日記に「今年こそ何々をやるぞ」とか書くじゃないですか（笑）、だいたい守れないんですけど。でもその日記を書いていたときに考えていたことが少しずつ後になって実現しました。

室井　今日は、いっぱい話したいことがあって手書きで書いてきたんだけど、自分が書いたものが乱筆で読めない（笑）。「誰に会うかは、相手が拒否しない限り、ある程度自分で決められるが、その人が何を言い出すかは予想できない。言葉は常に驚きなのだ」というところをメモしてある。ぼくは三十年近く前にボルヘス論でデビューした人間なんですが、ボルヘスはいろんなところでたくさん魅力的な話をしていて、詩について「詩とは、人間と書物との出会いだ」、「書物の発見だ」というようなことを言っています。詩の定義としてはなかなか風変わりで面白い。ボルヘスが言っていることと、『言葉と歩く日記』でやっていることは違うと思うけど、詩的言語と一緒に歩きながら、ジャンルを超出していくというあり方はボルヘスに通じている。

ボルヘスは小さいときに、父親の詩の朗読を聞いて、それが鮮烈に刻まれて、そのとき感じた詩に対する驚きはたぶん一生自分を支配するだろう、生涯、詩と恋人みたいな関係になるだろうと感じたという意味のことを言っています。詩とは単なるコミュニケーションの道具ではない、詩が自分にとって快楽の源泉だとまで言う。実際に彼はそういう生涯を送った。四十代くらいから完全に目が見えなくなってしまいますが、そんな中で昔覚えた詩を暗唱できた。故・中上健次がボルヘスに会って、中世の吟遊詩人の詩を滔々と朗読して圧倒されたっていう話もありました。

多和田 だとすれば、別に紙じゃなくてもいいですよね。さっき紙の文化からスマホに移って、本を読まなくなったという話がありましたけど、たとえばラジオで文学をやっている、そういう文化でもいい。

室井 口承文化ですね。耳で伝わってくるものが脈々とある。多和田さんの高瀬アキさんとのパフォーマンスをぼくも何回か見ましたが、即興でもなく、ちゃんとした台本があって……。

多和田　音楽の方は即興と作曲されたものが混ざっていますが、私は一応、紙に書いてあるとおりに読みます。でも、書いていないような気分になることがあって、それが大切ですね。今、言葉が出てきているその現場に居合わせているような感覚。

室井　『容疑者の夜行列車』を主題にダンサーが踊るシーンがあるでしょう、ああいうところもすごく面白くて。自分は踊らないけれども、文学を踊りのようなものとして考えていると書かれている。それはさっきの話と繋がっていて、詩的言語とは何かと考えたときに、口承、口伝え、耳から来た流れみたいなものがある。柳田国男が言う日本の近世以前の、有名なお寺とか神社とかそういうところに属さずに遍歴する放浪の芸能民に、歩き巫女っているんですよね。トランスするほうの巫女ですが。以前、『ゴットハルト鉄道』（講談社文芸文庫）の解説に書いたことがありますが、多和田さんは国際的な歩き巫女で、前衛的なんだけど、読んでいるとぼくみたいな土俗的な人間の遠い古い記憶が甦ってくる感じがして。

言葉と歩く

室井　ボルヘスなども高度に前衛的な人と言われているけど、この『言葉と歩く日記』もボルヘスにならって「多和田葉子とわたし」というタイトルをつけてもいいですね。

多和田　そうか、「ボルヘスとわたし」じゃなくてね（笑）。

室井　日記っていうのは、特にナルシスティックになりやすい。われわれ物書きはナルシシズムをまぬがれないけど、さっきのカフカの解説でも、カフカはそれをまぬがれた奇跡的な作家だと書かれている。多和田さんの日記もナルシシズムが感じられないですね。性格でしょうか。

多和田　それは、言葉でしょうね。言葉そのものを書く。言葉と歩く。言葉を書く日記というか、言葉そのものが主人公。私が限りなく軽くなっていって、言葉が生まれてくる、外から入ってくる言葉が面白くて、そうするとその私はいないというか、空っぽの容器のようになって歩いていて、なるべくいろいろ入ってくるようにする。実は形式的にはブログみたいな感じで書いていて、でもブログって読んでいるとナルシスティックなことが多くて、「わたし造り」の作業みたいになっている場合もありますよね。そうではなくて、内容を主人公にしたいですね。

室井　さっきも言ったけど、詩的言語についての考察には現代思想がからんできて、読者を抑圧する文体というのがある。いわゆる圧がかかってくる文章ですね。それはすぐわかるんですよ。元々そうなんだけど、大震災の後、そういう読む人に圧をかけてくるものを極端に受け付けなくなった時期がある。

ミズスマシっていう虫がいるでしょう。あれがぼくの好きなイメージ。柳田国男も書いているけど、ツツーツツーって動いて、圧がかかっていないように見える、ああいう移動の仕方というか、文章。軽い言葉が舞っているんじゃなくて、ちゃんと実質的なことを言いながらミズスマシのように移動する。ミズスマシって言葉の響きもいい。ぼくは古い人間なので詩的な言葉というのは、結局は美しくなくちゃいけないっていうのがある、心が澄んでくるというかね。

ボルヘスがハーバード大学で一九六〇年代にやった講演（「THIS CRAFT OF VERSE」）に「詩を汲む」っていう言い方が出てきて、なんて美しい言葉だろうと。深い井戸のようなものも何か所か出てきて、フロイトも出てきますけど、井戸はフロイト的なイドというかつまり無意識のエスですよね。多和田さんの書くものも、詩の水を、つるべみたいなやつでがらがらと落としてはまた汲み上げてくるような。

いま言った講演録が最初、岩波書店で出たときは『ボルヘス、文学を語る』というタイトルで、サブタイトルに「詩的なるものをめぐって」と付いていたんですね。何年かして岩波文庫に入ったときに訳者が編集者と相談して、タイトルを『詩という仕事について』に変えた。曖昧な日本語だけど、なかなかいいタイトル変更です。その詩的なるものが今日のテーマにもかかわるんだけど。詩を書く人=詩人っていう意味では比重としては、散文を書くほうが多いと思うけど、多和田さんの仕事は、全部ひっくるめて詩という仕事としか言いようのないものだと思います。

ベンヤミンの難解な『翻訳者の使命』という批評文があって、繰り返し読んでもなかなか頭に入ってこないけど、大学でぼくは何回も教材にしてきた。彼が「書き写すもの」というすばらしい文章を書いていて、手仕事をやるものは書き写さなければならないって言うので、それを実践しているんです。三種類くらいの訳者の文章を書き写しましたけどね。『言葉と歩く日記』の最後のほうに「小説にとって、読者はお客様ではない。お客様にあわせて貧しくなる必要はどこにもない」という究極の殺し文句みたいな、すばらしい言葉がある。『翻訳者の使命』の最初のほうには、「芸術はそのいかなる作品においても、人間に注目されることを前提としてはいない。というのも、いかなる詩も読者に向けられてはおらず、いかなる絵画も鑑賞者に、いかなる交響曲も聴衆に向けられてはいないからである」とある。これはすごい断定だなあと思って。

多和田　お客様、読者のために書くわけではないけど、作者が自分の思うように書けばいいということでもないんですよね。そうじゃなくて言葉そのものに耳をすましながら、つくっていく。言葉の中にはもう死んでしまった人や忘れられた人の知恵も入っていますから。翻訳をする場合も、作者は何を言いたかったのかということばかり考えていても仕方がない。また読む人が読みやすいようにとか、同業者に「不器用な翻訳だ」と言われたくないとか、そんなことばかり気にしていてはつまらない。言葉そのものをもっと信用していいんじゃないかと思います。

室井　彼は、ヘルダーリンとかを念頭に究極の翻訳者っていうのを何人か、イメージしている。

多和田　パウル・ツェランの詩について書いた私のエッセイがあって、『カタコトのうわごと』という本に載っていますが、ツェランの日本語訳を読んでいるとそこに現れてくるあるひとつの構造、規則性があって、それは日本語の訳にしか現れていない。ドイツ語の原文を見ても、それはない。ツェランはもちろん日本語を知らないし、翻訳したらどうなるかを考えて書いたわけでもない。でも言語そのものの中にひとつの言語を超えるような、もっと大きな、星座のような構造があって、その構造が他の言語とも呼応することがあってもまったく驚くに値しない。そういう意味で、まだ存在しない未来の翻訳作品が、未来から常にオリジナルを見つめている。それが私の思う翻訳が、ベンヤミンの『翻訳者の使命』と呼応する点です。でも、ベンヤミンの言う純粋言語というのはやっぱりよく解らないです。

室井　ここで言っている翻訳者とは、原作者をはるかに超えるレベルで言っているんですよね。ぼくが写した最後にも、「真理の言語こそ翻訳者が実現できるものだ」と書いてある。そんな翻訳者がいたらすごいけど。これは何回読んでもものすごく含蓄に富む文章だな。何かとても重要なことが言われているんだけど、ぼくは頭が悪くて……少なくとも五人くらいの人の訳でずっと読み続けてきました。多和田さんも、カフカの「変身」を訳されて、何か悟るところがあったんじゃないですか。

多和田　さっき映像の話がありましたが、カフカの言語の映像性というのは、映像にしやすいということではなくて、何回読んでも、誰が読んでも何らかの形で毎回映像になろうとする力があるという感じですよね。一人の立派な翻訳者が最高の訳をつくり、それで翻訳作業は完成するということではなくて、同じ本は何度もいろいろな人の手で翻訳される。そうさせようとする力が原書に含まれている場合はそうです。翻訳そのものが一種の映像だと言えるのかも知れません。ベンヤミンの『翻訳者の使命』というテキストそのものがそうですね。何度もいろんな人が訳す。そういう運動を起こさせる何かが、オリジナルのテキストの中にある。訳すというのは読むという行為の極端な形ですからね。書き写すということももちろんそうです。だから室井さんがいろいろな訳文を手書きで紙に書き写されているこの文字の迫力には本当に圧倒されます。

私の好きなハイナー・ミュラーという東独出身の作家が、残念ながらもう亡くなりましたが、大学でシェイクスピアについてのゼミをした時に、学生に「ハムレット」を全部書き写してきなさい、という宿題を出すんだけど、誰も宿題をやってこない。そうするとハイナー・ミュラーは「書き写すことさえできない人間に読めるわけがない」と言って「じゃあ今日の授業はこれで終わり。また来週、来週までに書き写してきなさい」と言って、家に帰ってしまったという話を聞きました。もし室井さんがこのゼミに出ていたら、ハイナー・ミュラーは喜んだでしょうね。

遅れていくこと

室井　村上春樹氏は翻訳に関して半端でないかかわり方をしている人だと思うけど、彼がどこかで言っていたことで、翻訳は一番効率の悪い読書だ、と。その一語だけ鮮やかに覚えているんだけど。平安時代の人は、源氏物語を筆で書き写して、それが最後まで読んだ、面白かったっていうことだった。いまの忙しい世の中の人が聞いたら卒倒してしまうような話だけど。それくらい遅れることは重要だっていうことがある。原発の問題なんかもそうだけど、効率のよすぎるもの一切に遅れちゃえっていうか。いろんなところで書いたけど、キルケゴール経由で知ったティル・オイレンシュピーゲルのエピソードで、おかみさんに酢を何シリングか買ってきてくれっておつかいを頼まれてティルは三年間戻らなかった。三年後にようやく戻ってきたんだけど、玄関で蹴つまずいて転んじゃって、酢の瓶を割っちゃうんですよ。するとティルが「ちくしょう、急いだらこのざまだ」っていう落語みたいな話があって（笑）。ぼくはこの話がすごく好きで。

以前、シェイマス・ヒーニーの第一評論集『プリオキュペイションズ』（国文社）をぼくと青山学院大学の佐藤亨さんで五、六年かかって訳したんですが、それを多和田さんが三年くらい遅れて、日経新聞の「半歩遅れの読書術」というコラムでとりあげてくれた。本なんてそれくらい遅れて読めばいいいと思うんですよ。

『言葉と歩く日記』も三年前に、自分の集まりでこれをテキストにするから読んでおいてって若い人に言っていて、その後、忙しくてそのままになっていた。それで多和田さんに会いたいなと思っていたら、今日の対談の話になって。三年たって、また言いましたけどね（笑）。

多和田　室井さんは震災前から、遅れるということはしっかりやっていましたね。学校の遠足の時なんかでも、遅れてはじめて風景が見えるようになる、と。遅れるとみんなから離れてしまうけれど、一人になることを恐れない。だから津浪が来ても、「キズナ」を強調するのではなく、ばらばらに逃げろ、と言えるんですね。ばらばらに逃げるためにはひとりひとりがかなり強くないとだめだと思うんです。しかしこの強さは、威張っている強さではない。決して上からものを言わない工夫をしている。その工夫のひとつとして、田舎者っていうスタンスがあるんじゃないかと思うんです。これが非常にすばらしくて、自分は田舎者であると言っておいて、都会人みたいな幻想から距離をおき、自分の仕事をするスペースを確保する。そうやって、じっくりとものを考えたり語ったりする条件を自分でつくるんですよね。そうしなければ、人の欲望のテンポに巻き込まれて、ちゃんとした仕事ができませんから。この「田舎者」というスタンスにはちゃんとした歴史的背景があって、たとえば「会津はそう簡単にオカミの言うことをきかない」という室井さんの一言で、私は、ああ、近代は日本を一つの同質なものとしてイメージさせようと私たちを洗脳してきたけれどそれは違うんだと実感しました。でも室井さんは逆に、自分は福島県の人間として発言する、などということも一度もおっしゃったことがない。震災後にはそういう形で、中心だと思われている東京に自分を対置するということも可能だったと思うのですが、そういうことは避けていらっしゃる。

それから室井さんは自分は外国語ができない、とよくおっしゃいますが、これも全部ウソですよ（笑）。室井さんはそもそも、一つの日本語があって、その外に外国語がある、という前提で読書していないんですね。一つの日本語というものはない。たとえば室井さんがお母様から聞いた言葉の中には、今のいわゆる「日本語」には入っていない単語がたくさんある。そういう単語が大陸にある言葉に直結していく。するとどこまでが日本語でどこからが日本語でないのか、わからなくなって、とても楽しいんです。こういう読み方は、「縄文時代から遅れて来た者ですが」と挨拶できるくらいスケールの大きな読書人でないとできないと思うんです。

室井　ありがとうございます、もっと言ってください（笑）。多和田さんと会った頃、縄文にくるっていて野っ原を歩きまわって、縄文土器のかけらをすぐ見つけられるようになったんです。七年くらいかかってそこまでになったんだけど、大震災の前後あたりから、長い縄文時代が終わって、弥生にやっと入った気分になった。万葉集が成立するちょっと手前くらいの間で自分の田舎のことを考えていてね。飛躍だらけの話だけど、極言すれば、東北というのは移民なんですよ。韓国、朝鮮の方言をテープとかで聞き続けていると、とくにイントネーション、アクセントが、奥会津とかのじいさんばあさんの話していた方言に驚くほど似ている。いま千語くらい集めて、何十冊ものノートになってしまったんですけど。言語的に「昔からのきょだい」だとしか言いようがない。

話を戻しますと、多和田さんは、ぼくの中で、芭蕉とかドン・キホーテとかと繋がるんですよね。旅をする遍歴の誇り高い人っていうことだけど。有名な人文学者のアウエルバッハとかエドワード・サイードとかいろんな人が、最終的に自分がこのような境地に立ちたいと引いている、中世のヨーロッパの神学者でサン・ヴィクトルのフーゴーっていう人がいるんです。中世の Saint がつく、聖ヴィクトルのフーゴーって読むんでしょうか、その人が郷里とか故郷、「くに」とのかかわり方で人間を三種類に分類している。ある人の訳で、「自分の祖国をうつくしいと思うような人間はいまだに軟弱な初心者である。どのような土地でも自分の祖国であると思える人はすでに強靭な人間である。しかし全世界が自分にとって異土である、異邦であるような人こそが完璧な人間である」。ぼくも早くからこの言葉を知っていました。井の中の蛙みたいな生活をしている人間が言うのは滑稽だけれども、ぼくなんかは郷里とのかかわり方で、ナショナリズムみたいなところからは脱却したかなという程度です。ヴィクトルのフーゴーがいう三分類のうちの最初の段階くらいはなんとか脱却したようだと。軟弱な初心者っていうのもいろんな訳があって、「くちばしの黄色いひよっこだ」という訳で最初読んだような気がする。フーゴーは三番目の人間こそが究極の人間の理想だと提出している。『教育論』という本の中で言っているので、単なる三分類っていうことではなく、最終的に「全世界が自分にとって異邦であるというところで生きられる人が完璧な人間だ」という。

ちょうど多和田さんがドイツの破産書籍出版社から本を出して三十年目ということで、多和田さんは、ぼくの知っている同時代の書き手で、三十年くらい読んできた人で、全世界を異邦とするような遍歴者の境地に達しているんじゃないでしょうか。

多和田　私は実は全世界を異邦とするような第三段階に一度は達したような気もするのですが、最近後退しています。いろいろな国の人が私の書くものを読んでくれるようになったので感謝して「地球上どこでも故郷」と幸せを感じる時点で第二段階に後退。最近はダメな日本がオドラデクに見えてしまって、いとしくて心配で、日本という幻想を信じてはいないのに、自分が第一段階にまで後退するのではないかとそれが心配です。

室井　「作家は心配なんだよ」（笑）。

多和田さんの書かれるものには、ある種、言語的な緊張感がもたらす信頼できる暗さがあります。それははじめに言ったような読者を抑圧するものとは違うし、引きこもりの人にもアピールするようなところもある。ぼくは隠者気取りの生活をしているんだけど、今日は、国際的な回遊魚みたいな多和田さんと井の中の蛙の室井というコントラストの妙が面白いから、ぜひ行ってらっしゃいと友人が言うので、喜んできました。ありがとうございました。

（東京都国立市、ロージナ茶房にて）

初出一覧

＊印は『わらしべ集』（二〇一六年九月／深夜叢書社）に収録

Ⅰ　ノート篇

ディヒターの心配――多和田葉子ノートⅠ（「てんでんこ」第12号／二〇一九年）
みにくいヒヒルの子――多和田葉子ノートⅡ　書き下ろし
オチカエリの練習生――多和田葉子ノートⅢ　書き下ろし

Ⅱ　序説篇

詩嚢中の錐（「現代詩手帖」二〇一九年五月号）
メランコリーの根源（「現代詩手帖」二〇一九年七月号）
今日のみ見てや雲隠りなむ（「現代詩手帖」二〇一九年八月号）

Ⅲ　ブック・レヴュー篇

あやしのアルキミコ――『ゴットハルト鉄道』（講談社文芸文庫『ゴットハルト鉄道』解説／二〇〇五年四月）＊
闇あがってくるもの――『ふたくちおとこ』（「新潮」一九九九年二月号）＊
地母神ゼロの物語――『変身のためのオピウム』（「すばる」二〇〇一年十二月号）＊
月裏人からのオマージュ（「ユリイカ」二〇〇四年十二月臨時増刊号「総特集　多和田葉子」）＊
〝愛苦しさ〟あふれる物語――『雪の練習生』（共同通信／二〇一一年三月十七日配信）

Ⅳ　対話篇

言葉の「物の怪」（「群像」一九九七年九月号）
言葉そのものがつくる世界（「現代詩手帖」二〇一七年九月号）

あとがき

詳細にふれることはしないが、長い歳月にわたる重層的な〈縁〉のみちびきで誕生した本書は、学術論文でも評論でさえもない、ただの愛読者のノートを中核に据えて編まれている。

この二十年ほどの間、偶然同時代に生れ合わせた作家を無礼にも妹呼ばわりし、ついには兄事ならぬ〝妹事〟するに至ったまったくもって例外的としかいいようのない経緯にわれながら驚いている。というのも、当方が関心を持続させ、ボルヘスのようにせめてそれに〈序文〉だけでも寄せたいと願う世界文学の対象はほぼすべて物故者であり、キルケゴールのいうシュムパラネクローメノイ（共に死せる者たち）——あるいはあのギリシャ劇のコロスふうの巨匠たちだからである。これはあえて謎のままにしておこうと思う。

このノートの特質についてうまくいえそうにないので、多和田葉子氏が二〇〇一年に行ったボルヘスをめぐる講演「夢という辞典」（『ボルヘスとわたし』岩波書店、二〇一一年）の一節をかりる。ボルヘスを「一風変わった収集家」とはじめによびつつ、「研究という立派な目的」とは別次元のものだとつけ加えた後、ディヒターはこう続けている。

「収集家は、研究のために集めるのではありません。もちろん、集めたのものについての知識は深いのですけれども、その知識のあり方が、学者とは違っています。ヴァルター・ベンヤミンに言わせると、学者の知識は体系的ですが、収集家の知識には、アナーキーなところがある、ということになります」

＊

ボルヘスは、『詩という仕事について』で、〈詩を汲む〉という美しい表現を用いた。また、別の講演では、学生たちに文学を教えるにあたって、「愛や果物の味や水と同じくらいはっきりしていて、直接的で、定義不可能」な美学的事実を強調し、〈詩〉はただ「感じ取り」さえすればよいと語った。「物事はあるがままです。あるがままだけれど、隠れている」(『七つの夜』野谷文昭訳、岩波文庫、二〇一一年)

このノート集も、「あるがままだけれど、隠れている」多和田文学のポエジーを「感じ取り」、古い手製のつるべのようなもので反復的に汲み上げる一種「アナーキーな」作業によって成ったとはいえるだろう。

*

竹田信弥氏が立ち上げた出版社の門出をことほぐために本書のプランを練りはじめたのは二〇一九年春頃のことであるが、氏との極私的な〈縁〉の詳細について語るのもさしひかえる。

本書の柱となるノートⅠ～Ⅲを執筆したのはさらにさかのぼるが、これらは文字通りノートに書かれたものである。誰に頼まれたわけでもなく「自発的に」なされた点で、一種のボランティア仕事とよんでもいいだろう。この語の本源にある通り、私はこの仕事を自ら「買って出」て、進んで事にあたったのである。ノートⅢをようやく脱稿したあたりから身体に異変が生じ、ついには病牀六尺状態になってしまったため、単行本化への作業が遅れたのは是非もないことであった。もしかしたらこれが〝遺著〟になるかもしれないという思いが脳裡をかすめたことも事実だ。

世界の多和田葉子が、私どもの貧しい雑誌「てんでんこ」第9号（二〇一八年）に寄稿してくれた詩篇「魔の山の麓にて」のひとくさり――〈この世はサナトリウム、滞在費を払わなければ存在できないんだっけ〉を口遊みながらノートⅠ～Ⅲの修正作業にいそしんだ日々を思い起こす。サナトリウム人間と化したギョーカイからの「失踪者」は、このノート集を書きつづけることでサナトリウムの滞在費を払うことができるような思いに包まれていたのだった。

＊

ギョーカイを離れた人間という事情も手伝い何度か座礁しかかった本書を曲りなりにも賢治のいう〝未完成という完成〟にみちびいたのは、なんといっても多和田葉子氏の励ましによるものといわねばならない。超多忙の中、世界各地の滞在先から、一度ならず望外のコメントを賜わったご高誼を、田舎者は死に至るまで忘れることはないだろう。

＊

さいごになったが、装幀をしていただいた造本アーティストの髙林昭太氏は、前著『わらしべ集』（二〇一六年）を文字通り手作りしてくれた大恩の人である。氏に厚く御礼申し上げる。難儀な条件をものともせず、当方のイメージする〝希望という手仕事〟のサンプルを現前化させるとびきりの才腕に拍手を送りたい。

二〇二〇年三月のために

室井光広

室井光広　むろい・みつひろ

一九五五年一月、福島県南会津生まれ。早稲田大学政治経済学部中退、慶應義塾大学文学部哲学科卒業。一九八八年、ボルヘス論「零の力」で群像新人文学賞受賞。著書に『猫又拾遺』（一九九四年、立風書房）、『おどるでく』（一九九四年、第一一一回芥川賞受賞）、『あとは野となれ』（一九九七年、ともに講談社）、『そして考』（一九九四年、文藝春秋）。文芸評論に『零の力』（一九九六年）、『キルケゴールとアンデルセン』（二〇〇〇年、ともに講談社）、『カフカ入門――世界文学依存症』（二〇〇七年）、『ドン・キホーテ讃歌――世界文学練習帖』（二〇〇八年、ともに東海大学出版会）、『プルースト逍遥――世界文学シュンポシオン』（二〇〇九年、五柳書院）、『柳田国男の話』（二〇一四年、東海教育研究所）、『わらしべ集』（全二冊、二〇一六年、深夜叢書社）。エッセー集に『縄文の記憶』（一九九六年、紀伊國屋書店）。訳書にシェイマス・ヒーニー『プリオキュペイションズ――散文選集1968-1978』（佐藤亨と共訳、国文社）などがある。二〇一二年、文芸雑誌「てんでんこ」を創刊し第12号まで刊行。二〇一九年九月、急逝。享年六十四。

多和田葉子ノート

二〇二〇年三月二十三日　初版発行

著　者　室井光広

発行者　竹田信弥

発行所　双子のライオン堂　出版部
郵便番号一〇七―〇〇五二
東京都港区赤坂六―五―二一―一〇一
shishishishi@liondo.jp
http://shishishishi@liondo.jp

印刷・製本　株式会社シナノ

ISBN978-4-910144-00-9 C0095
落丁・乱丁本は送料小社負担でお取り替えいたします。